LES COLOMBES DU
Roi-Soleil

ANNE-MARIE DESPLAT-DUC

LES COLOMBES DU Roi-Soleil

OLYMPE COMÉDIENNE

Flammarion

CHAPITRE

1

Je m'appelle Olympe de Bragard.

À dire vrai, je ne connais rien de moi ou plus exactement tout est si confus dans ma mémoire qu'il me paraît impossible de résumer ma vie avant mon entrée dans la Maison Royale d'Éducation de Saint-Cyr.

Je me souviens de ma petite enfance. J'ai une vision assez nette d'une calèche tirée par un cheval, s'engageant dans une large allée plantée d'arbres touffus. Je suis à l'intérieur, blottie contre ma mère. J'entends encore sa voix douce, je sens son parfum à la violette, mais les traits de son visage se sont estompés. Je revois aussi une grande pièce éclairée par le feu qui crépite dans la cheminée. Au mur, des tableaux et des tentures représentant des scènes de chasse. Mon père, le dos à la fenêtre, me sourit. Je cours jusqu'à lui et je me jette dans ses bras.

Ce sont les images d'un bonheur serein que je sais à jamais perdu parce que, immédiatement, à cette vision de calme, se superpose une vision de cauchemar : des hurlements, des cris, du sang et un immense trou noir, comme si mon cerveau avait voulu tout effacer.

Ma vie semble avoir repris son cours normal lorsque j'ai franchi la porte de la maison de Noisy avec d'autres fillettes de mon âge.

Combien de temps s'est-il écoulé entre le moment où ma vie a basculé dans l'horreur et celui où je suis devenue une demoiselle de la Maison Royale d'Éducation ? Je l'ignore.

Que s'est-il passé pour que je sois arrachée à la douceur de ma vie familiale ? Je l'ignore.

Que sont devenus mes parents ? Je l'ignore encore. De quelle province française suis-je issue ? Je ne le sais pas non plus.

Peut-être Mme de Maintenon connaît-elle mon histoire. Sans aucun doute, car j'ai appris que pour avoir l'honneur d'être admise dans cette maison, il fallait prouver que sa famille était noble et qu'elle s'était ruinée pour servir le Roi. Je suppose donc que mes parents remplissaient cette condition. Mais où étaient-ils ? Pourquoi ne recevais-je jamais de lettres d'eux ? M'avaient-ils abandonnée ? Étaient-ils seulement en vie ? Et s'ils ne l'étaient plus, qui donc avait sollicité une place pour moi ? Avais-je des frères et sœurs ? Des oncles, des tantes ?

Certes, j'aurais pu demander des explications à Mme de Maintenon. Je ne l'ai jamais fait. Premièrement parce que cette dame m'impressionne et qu'il n'est pas d'usage que nous lui adressions directement la parole, et secondement parce que j'appréhende trop sa réponse.

Parfois, je me dis que c'est Dieu qui a choisi d'effacer le passé de ma mémoire afin que je puisse construire mon avenir. Parfois aussi, ne pas savoir ce qu'il est advenu de mon père et de ma mère me ronge et je me jure alors de mettre tout en œuvre pour quitter cette maison et les retrouver.

Cette dualité me fait beaucoup souffrir et c'est ce qui explique mon caractère taciturne. Comment me mêler aux jeux, aux conversations avec les autres quand une partie de moi me manque ?

Ainsi, j'ai assisté en spectatrice à la naissance de l'amitié entre Louise, Isabeau, Charlotte et Hortense. Le soir, alors qu'elles me croyaient endormie, je tendais l'oreille pour suivre leur conciliabule dans le lit de l'une ou l'autre. Mais ma couche était trop loin pour que je saisisse le moindre mot. Que n'aurais-je donné pour être avec elles et avoir le soutien de leur amitié ? Peut-être serais-je parvenue à sourire, à rire même, et ouvrir mon cœur m'aurait

9

permis de voir plus clair en moi mais, craignant d'être rejetée, je n'ai rien tenté pour m'approcher d'elles.

Je dois mon salut à M. Racine ou plus exactement à *Esther,* la pièce qu'il a écrite pour nous[1].

J'étais bien persuadée que le théâtre n'était point pour moi. J'étais trop timide. Et la perspective de devoir déclamer des vers en m'exposant au regard de tous me terrifiait.

Pourtant, lorsque M. Racine nous fit, en personne, la lecture de la pièce, je versai quelques larmes, vite essuyées. Il me parut que mon destin était semblable à celui d'Esther. Elle était orpheline et je ne savais pas ce qu'il était advenu de mes parents. Mais l'idée d'obtenir un rôle dans cette pièce ne m'effleura même pas. Charlotte, par contre, ne rêvait que de théâtre !

Petit à petit, je me mêlai à leurs conversations et cela me fit un bien immense. Tout mon être, torturé depuis des années, se détendait enfin. Je parlais, on me répondait. J'entrais doucement dans le cercle très fermé de ces quatre amies.

Et puis, lorsque Mme de Maintenon annonça que les rôles seraient attribués aux demoiselles nées en 1674, je décidai de tenter ma chance, pour qu'une fois, au moins, j'aie les mêmes rêves, les mêmes

1. Lire *Les comédiennes de monsieur Racine.*

aspirations, la même nervosité que les autres. Pour n'être pas à part, tout simplement.

Ma première tentative d'approche eut lieu lorsque nous partîmes pour la répétition générale qui avait lieu au château.

Je m'en souviens parfaitement. J'étais montée dans le carrosse où avaient pris place Charlotte, Hortense et Adélaïde. Nous étions toutes très excitées à la perspective de sortir des murs de Saint-Cyr et de découvrir le palais où vivait le Roi. Je l'étais comme les autres avec en plus une crainte étrange qui me nouait le ventre.

La nuit précédente, mes cauchemars m'avaient à nouveau assaillie. J'avais été poursuivie par des ombres gigantesques brandissant un poignard, je m'étais réveillée en sueur. Je n'avais recouvré mon calme qu'en me persuadant qu'à Saint-Cyr il ne pouvait rien m'arriver de fâcheux. Et voilà justement que l'on m'obligeait à quitter la sécurité de ce lieu.

Heureusement, la lumière de ce jour ensoleillé, la gaieté de mes compagnes et la beauté du parc que je découvrais par la fenêtre de la portière chassèrent mes terreurs nocturnes.

Lorsque le choix de Racine se porta sur moi pour interpréter Élise, je crus que le sol allait se dérober sous moi. Je pensais que la timidité me paralyserait sur la scène. Je n'étais point la seule. Et cette angoisse nous lia toutes aussi fortement que les doigts de la main.

La magie opéra dès la première représentation. Le Roi, le dauphin et plusieurs grands de la cour étaient pourtant présents, mais j'étais tant imprégnée par mon rôle que je ne les vis point. Pendant toute la durée de la pièce, j'oubliai tout. Je n'étais plus Olympe la timide, la craintive, rongée par un mal inconnu, j'étais transfigurée, portée par mon personnage.

Quand, encore vibrante d'émotion, je quittai la scène, je me dis : « C'est ce que je veux faire, toujours. Je veux être comédienne. »

N'osant exprimer ce souhait saugrenu, je l'enfouis au fond de moi. Mais il eut l'énorme mérite d'écraser ce qui me faisait souffrir depuis si longtemps. Et curieusement, le lendemain de cette représentation, je me réveillai avec l'impression étrange que le bonheur pouvait être aussi pour moi si je réussissais à jouer des vies qui n'étaient point les miennes sur une scène de théâtre.

Lorsque nous apprîmes que Louise était la fille du Roi et que ce secret, jalousement gardé par Mme de Maintenon, avait assombri son enfance, je pensai que l'événement qui m'avait fait perdre tout un pan de ma mémoire avait peut-être lui aussi un lien avec Sa Majesté. Étais-je moi aussi de sang royal ? Un complot avait-il été ourdi afin que je ne connaisse jamais la vérité ? Et celui que je croyais être mon père ne l'était-il point ?

J'avoue que cette idée occupa assez longtemps mon esprit. Jamais pourtant je ne la formulai devant mes compagnes. Je craignais qu'elles ne me croient jalouse. À moins qu'elles ne me jugent bien orgueilleuse de prétendre que du sang royal coule dans mes veines.

La veille de la représentation du 5 février, je me sentis fébrile. Je crus qu'il ne s'agissait que de l'appréhension de jouer devant deux rois. On nous avait en effet annoncé que Jacques II d'Angleterre et son épouse, exilés à Saint-Germain, assisteraient avec Sa Majesté à la pièce. La nuit, mes cauchemars habituels m'assaillirent et au matin, malgré tous mes efforts, il me fut impossible de tenir debout. Je fus conduite à l'infirmerie où je passai quelques journées abominables. La gorge me brûlait, la fièvre me consumait et des visions affreuses me torturaient. Plusieurs demoiselles furent atteintes par ce mal dû à l'humidité qui régnait dans notre maison.

Dans mes rares moments de lucidité, je suppliais que l'on me levât pour que je puisse interpréter mon rôle, assurant qu'il n'y avait que le théâtre pour me guérir. Les dames infirmières mirent ces paroles sur le compte du délire, et m'obligèrent à boire des infusions de plantes qui m'endormaient. Elles avaient tort. C'est la perspective de monter sur une scène qui me rendit à la vie, plus sûrement que leurs médecines. J'en suis certaine. Sans ce rêve de théâtre, je me serais laissée mourir, car rien ne me rattachait à la vie.

Dieu eut sans doute pitié de moi, car je guéris. Mais j'eusse préféré qu'Il me laissât périr, car Il me redonna la vie mais m'ôta ce qui en faisait le sel.

2

La période où nous avons joué *Esther* est la plus belle de ma vie. C'est comme si mon esprit avait enfin réussi à s'extraire du malheur.

Je me métamorphosais, je quittais mon existence terne et sans joie. En endossant le personnage d'Élise, je m'appliquais à lui donner une âme, une voix, un regard qui la rendait plus vivante que je ne l'étais, moi. Mon jeu s'améliorait à chaque représentation et je prenais un plaisir de plus en plus intense à me produire devant la Cour. Curieusement, je m'aperçus qu'une part de ce plaisir venait de la présence des spectateurs. Il me parut que si la salle avait été vide, je n'aurais pas mis tant d'ardeur à convaincre.

Ainsi, peu à peu, grâce au théâtre, je m'ouvris aux autres. J'osai aller vers mes compagnes, leur parler, même si, au début, nos conversations n'étaient centrées que sur *Esther*. Je partageais surtout l'enthousiasme de jouer avec Charlotte. Son esprit aventureux et rebelle me séduisait. J'avais envie de lui ressembler. Je me disais que notre amitié ajoutée au théâtre remplirait ma vie à Saint-Cyr.

Alors que je commençais juste à nouer quelques liens avec les comédiennes, le départ de Louise me perturba. Nous avions peu parlé, mais elle avait la même fêlure que moi. Elle ne connaissait pas ses origines et j'avais oublié les miennes. Je m'imaginais que cette similitude allait faire de nous des sœurs d'infortune et cela m'avait réchauffé le cœur. Hélas, nos chemins se séparèrent si vite que je ne garde d'elle que le souvenir d'une voix pure et cristalline[1].

Mais peu de temps après, lorsque nous nous aperçûmes que Charlotte avait disparu, j'eus l'impression d'être trahie. Jouer ensemble avait créé entre nous une solide amitié et monter à nouveau sur une scène sans elle me parut impossible. Pourtant, je ne pouvais m'empêcher d'admirer son audace.

Une fois, dans les coulisses, elle m'avait confié :

— La vie que nous menons à Saint-Cyr me pèse. Je ne suis pas à l'aise dans la religion catholique que l'on m'impose. Et puis mon cousin François me manque.

1. Lire *Le secret de Louise*.

— Nous ne choisissons point notre destinée, lui avais-je répondu.

— Eh bien, si, justement, moi j'ai choisi ! avait-elle lancé, du défi dans la voix.

Et elle était partie[1].

Après Charlotte, ce fut le tour d'Hortense, enlevée sous nos yeux par Simon dont elle s'était éprise en jouant *Esther*[2].

L'année suivante, lorsque notre maîtresse, Mlle du Pérou, nous annonça que M. Racine nous avait écrit une nouvelle pièce, une vague de bonheur me submergea et pendant plusieurs jours la perspective de jouer devant le Roi et la Cour me fit oublier tous mes tourments. Las, alors que je me réjouissais de paraître une nouvelle fois sur une scène, Mme de Maintenon décida qu'*Athalie* serait jouée par les demoiselles n'ayant point encore seize ans. Mes camarades et moi venions de dépasser cet âge. Mais comme nous savions déjà le texte sur le bout des doigts, Mlle du Pérou nous nomma répétitrices et nous attribua à chacune une demoiselle afin que nous la fassions travailler. Cela atténua un peu ma déception.

Pourtant, Diane de Courtemanche à qui je devais apprendre le texte, si elle était en tout point

1. Lire *Charlotte la rebelle*.
2. Lire *La promesse d'Hortense*.

charmante, ne me parut pas posséder de grandes qualités pour le théâtre.

— Il faut placer votre voix, ne point chevroter comme vous le faites ! lui recommandai-je.

— J'essaie, mais je n'y parviens pas.

— Et puis levez donc le visage et regardez loin devant vous afin de donner de la noblesse à votre personnage.

— Je ne le puis.

— Mais si, vous le pouvez ! J'étais aussi timide que vous et c'est le théâtre qui m'a aidée. Sur une scène, vous n'êtes plus Diane de Courtemanche, vous êtes Josabet !

Je ne lui laissais point de répit et je fus assez fière lorsque, au retour de Versailles où la pièce avait été donnée devant le Roi et quelques familiers, elle se précipita vers moi et annonça, le rose aux joues :

— Nous avons été très applaudies. Vos conseils étaient bons.

Puis Éléonore partit si rapidement pour épouser un vieux baron saxon qu'elle eut à peine le temps de nous dire au revoir[1]. Lorsqu'elle nous avait fait part de son désarroi, Isabeau, Gertrude et Henriette l'avaient beaucoup plainte. Moi, je lui avais lancé :

1. Lire *Éléonore et l'alchimiste*.

— Si c'était à moi que l'on avait fait cette proposition, je n'hésiterais pas une seconde ! À la seule condition que je puisse aller au théâtre tous les jours.

Mes compagnes avaient cru à une boutade pour amener un souris[1] sur les lèvres d'Éléonore, pourtant, c'est ce que je pensais vraiment.

C'est à peu près à cette époque que la règle de notre maison se durcit. Nous n'eûmes plus droit de jouer du théâtre, de lire des livres profanes, d'apprendre l'histoire ancienne. Nos activités se résumèrent à la broderie, à la prière, à l'étude de textes saints et de cantiques. Durant les récréations, nous ne pouvions plus bavarder ensemble, mais devions discuter sur des sujets imposés par nos maîtresses. Une véritable chape de plomb tomba sur Saint-Cyr. Toute joie en fut bannie et nous en souffrîmes toutes, sauf peut-être celles dont le but était de prendre le voile.

C'est sans doute ce qui conduisit Gertrude à commettre son crime[2]. Certes, je ne l'excuse point, mais je la comprends. L'amitié entre elle et Anne était si belle, si forte que l'interdire était un châtiment qu'elle n'a point supporté. Et lorsqu'elle fut chassée de Saint-Cyr après avoir subi l'outrage d'être fouettée en public, nous fûmes toutes abasourdies.

1. Sourire.
2. Lire *Gertrude et le Nouveau Monde*.

La nuit suivant son renvoi, les cauchemars revinrent m'assaillir. Il y avait toujours des cris, des gens qui couraient, des tirs de mousquets, mais une image plus précise émergea de mon cerveau. Un homme était fouetté, comme Gertrude l'avait été. Il était couvert de sang. Je tendais les bras vers lui en sanglotant, mais quelqu'un me tirait vers l'arrière en rabattant sur mes yeux une étoffe noire. Je m'éveillai en sursaut en essayant de retrouver d'où me venaient ces images. Mais si, dans mon sommeil, elles me semblaient réelles, une fois les yeux ouverts elles s'effaçaient rapidement, me laissant terrorisée, le cœur battant, avec une impression de vide insupportable.

La sage et vertueuse Isabeau fut bientôt engagée comme gouvernante par la princesse de Condé[1]. Lorsqu'elle nous l'annonça le soir, alors que Jeanne, Henriette, Anne et moi étions assises sur son lit, je l'avais enviée de quitter cette maison qui devenait une prison. Je saisis donc l'occasion de former un nouveau carré d'amies et nous nous jurâmes solennellement de ne jamais nous séparer. Le théâtre avait affermi mon caractère et c'est naturellement moi qui pris la tête de notre petit groupe.

1. Lire *Le rêve d'Isabeau.*

Las, encore une fois, le destin se joua de nous et, quelques mois plus tard, Henriette[1] retourna vivre dans sa chère Bretagne, puis Anne partit à son tour. La fortune[2] voulut qu'elle épousât un jeune gentilhomme cher à son cœur. Nous fûmes heureuses pour elle et je me pris à rêver. Le bonheur existait donc... mais pour si peu d'entre nous... Ferais-je partie un jour du petit nombre des élues ? Il faudrait tout d'abord que je me débarrasse de mes cauchemars...

De toutes les comédiennes ayant joué dans *Esther,* j'étais la seule à rester à Saint-Cyr, et de notre groupe d'amies de la classe jaune, il n'y avait plus que Jeanne de Montesquiou. Bien qu'elle ne partageât point mon amour du théâtre, notre solitude à deux nous rapprocha.

Un soir, je l'entendis sangloter dans son lit. Je m'en approchai doucement et, me glissant à son côté, je murmurai :

— Que vous arrive-t-il ?

— Toutes les lettres reçues de mes parents m'ont été ôtées.

— Je vous croyais orpheline ?

— Je le suis. Mais mon oncle et ma tante m'ont élevée comme si j'étais leur fille, et, pour moi, ils

1. Lire *Un corsaire nommé Henriette.*
2. La chance, le hasard.

sont mes parents. J'ai l'impression d'être orpheline deux fois.

Ses sanglots redoublèrent. Elle les étouffa sous son drap et j'essayais de la réconforter.

— Ils vous écriront d'autres lettres et peut-être même vous rendront-ils visite prochainement.

— Oh, ils habitent si loin... Depuis mon entrée dans cette maison, voici dix ans, je n'ai vu personne de ma famille. Et vous ?

Sa question me prit au dépourvu. Jamais je n'avais parlé de ma famille à qui que ce soit. Et lorsque la discussion venait sur ce sujet, je m'enfermais dans le mutisme.

— Je n'en ai point non plus.

— Ah ? Pourtant voici quelques semaines, lorsque la règle de notre maison s'est durcie jusqu'à devenir insupportable, vous aviez affirmé que votre père ne vous laisserait pas dans un couvent.

Je m'en souvenais. Quelle mouche m'avait piquée ce jour-là ? Mais il est vrai qu'emportée par les déclarations des unes et des autres, j'avais senti le besoin d'avoir moi aussi quelqu'un qui se souciât de moi. Je m'étais inventé un père aimant et attentionné. Peut-être était-ce aussi une façon de rayer de mon esprit les images abominables de cet homme baignant dans son sang... parce que je sentais, confusément, qu'il faisait partie de ma famille et que s'il n'était pas mon père, il était peut-être mon grand-père, un oncle ou un frère aîné.

Cela aurait sans doute été le bon moment pour lui ouvrir mon cœur mais, dans le lit voisin, Marianne de Compigny se réveilla et nous dit :

— Est-ce que je peux venir bavarder avec vous ?

Jeanne, qui ne savait rien refuser aux autres, accepta, mais je ne connaissais pas assez bien Marianne pour lui livrer mes tourments et je dirigeai volontairement la conversation sur la destinée de celles qui n'étaient plus là.

— Je donnerais fort cher pour savoir ce qu'elles sont devenues !

Marianne, pourvue d'une imagination débordante, se plut à nous décrire la vie aventureuse et fabuleuse, ou calme et somptueuse de chacune des absentes. Elle avait le don de charmer son auditoire et le petit matin nous surprit, toujours suspendues aux lèvres de notre conteuse.

Nous nous précipitâmes dans nos lits respectifs. La tristesse de Jeanne s'était évanouie, et aucun cauchemar n'eut le temps de s'emparer de mon esprit.

Je me surpris à penser que Marianne, Rosalie, Diane, Jeanne et moi, nous pourrions former un nouveau groupe d'amies afin de supporter la rigueur de la vie à Saint-Cyr.

3

Notre vie monotone se poursuivit donc. Certaines d'entre nous se plièrent bon gré mal gré aux règles strictes qu'on nous imposait. Il est vrai que nous n'avions point le choix. Si elles avaient été chez elles, mes compagnes auraient brodé au coin du feu et n'auraient même pas bénéficié de l'instruction que les dames de Saint-Louis nous dispensaient. Quant à la liberté, il n'y fallait point songer, car une demoiselle de qualité ne quitte guère la demeure de ses parents et, s'ils sont désargentés comme c'était notre cas, elle n'est point invitée aux divertissements organisés par les riches familles des alentours ayant un fils à marier. À Saint-Cyr, au moins, nous étions toutes dans le même état. Aucune rivalité due à l'argent, à la tenue vestimentaire, à la coiffure n'entraînait de chamaillerie et aucun galant ne venait semer la zizanie entre nous.

Je dois bien avouer que c'était le discours que je tenais avant de connaître le théâtre. Dès que j'eus découvert le bonheur d'être sur scène, l'existence à Saint-Cyr me parut un véritable fardeau et quelques disputes, quelques rivalités amoureuses ne m'auraient point déplu pour la pimenter. Je m'évadais donc en répétant à voix basse durant la nuit les scènes apprises et en jouant tous les personnages. Je criais, tempêtais, suppliais, aimais. Et cette double vie m'aida à supporter les journées qui se succédaient, identiques.

Parfois, mes compagnes se glissaient dans mon lit pour m'écouter déclamer des vers. C'était pour moi un véritable exploit de réussir à les captiver alors que je devais chuchoter pour ne point attirer les foudres de la surveillante endormie dans son lit aux courtines tirées, à l'autre bout du vaste dortoir.

— Vous êtes une excellente comédienne, me dit un soir Diane après que je leur eus interprété la scène 3 de l'acte IV, endossant tour à tour les rôles de Joas, Joad, Azarias et Ismaël.

— Certes, ajouta Jeanne, pour jouer tous les personnages comme vous le faites, il faut beaucoup de talent.

— Quelle pitié que Madame ait supprimé le théâtre ! soupira Rosalie, cela doit beaucoup vous manquer.

— Sans le bonheur de jouer, je dépéris.

Il est vrai que sans le secours du théâtre, je craignais bien de sombrer dans la folie. Mes cauchemars ne m'avaient point quittée. Ils revenaient me hanter régulièrement. Mais j'avais toutefois remarqué que lorsque je m'endormais après avoir récité une tirade de Racine ou une fable de M. de La Fontaine, ils étaient moins féroces.

Et puis, un après-dîner[1], alors que nous étions en récréation occupées à dialoguer sur le sujet que venait de nous communiquer notre maîtresse, tout en déambulant dans les allées pour nous dégourdir les jambes, une novice vint me chercher :

— Mme de Loubert vous attend dans son bureau, m'annonça-t-elle.

Je jetai un regard éperdu à mes compagnes. Que me voulait la mère supérieure ? Lorsqu'elle nous appelait, c'était toujours pour une raison grave. Rapidement, je fis mon examen de conscience. Mais il me parut que je n'avais commis aucune faute, sauf celle de réciter des vers la nuit avec mes amies. La surveillante aurait-elle fait un rapport ? Diane me serra le bras et me chuchota à l'oreille :

1. Après-midi.

— Nous sommes avec vous, et s'il y a une punition, nous prendrons notre part.

Je suivis la novice. Soudain, une idée me frappa violemment l'esprit. Et si Mme de Loubert avait des informations sur ma famille ? Et si elle allait m'annoncer la visite de mes parents ? À moins qu'elle ne me tende une lettre d'eux ? J'accélérai le pas, obligeant la novice à faire de même. Nous entrâmes dans le bâtiment et nous nous dirigeâmes vers le bureau de la supérieure. Mon cœur battait de façon désordonnée. J'avais hâte de savoir et peur aussi.

— Attendez là, me dit la novice devant la porte.

J'attendis. Debout. Sans oser bouger, sans oser m'appuyer contre le mur, le visage baissé, anxieuse. Les images dramatiques de mon enfance profitèrent de ma faiblesse pour envahir mon esprit et le torturer.

Lorsque la porte s'ouvrit enfin, j'étais statufiée et mes jambes eurent du mal à se mettre en mouvement.

— Entrez, me lança Mme de Loubert.

J'avançai jusqu'au milieu de la pièce, meublée seulement d'une table, d'une chaise, de deux fauteuils. Au mur, un crucifix. La lumière pénétrait par deux hautes fenêtres. Lisant sans doute l'inquiétude sur mon visage, la supérieure me rassura :

— Ne faites point cette mine sombre, je n'ai aucune mauvaise nouvelle à vous livrer.

Je soupirai d'aise tout en me demandant ce qui, dans ce cas, pouvait bien justifier ma présence devant elle.

— Votre maîtresse et moi-même sommes satisfaites de vous.

Je réussis à lui accorder un petit souris.

— Votre sagesse et votre piété vous conduisent vers la voie de la religion.

Je me raidis. Ce n'était point dans cette direction que mes vœux me portaient.

— Cependant... comment dire... un événement nous amène à revoir ce choix.

Je levai un regard interrogateur vers notre supérieure et mon cœur, qui s'était calmé, recommença à battre la chamade. Il fallait que l'événement fût important pour que l'on me détournât du couvent.

Mme de Loubert semblait mal à l'aise. Assise derrière son bureau, elle tripotait nerveusement une lettre qu'elle posait sur la table, puis reprenait en relisant quelques lignes. Elle toussota et finit par poursuivre :

— Nous avons reçu une lettre d'un gentilhomme qui revient de Saint-Jacques-de-Compostelle. Il avait entrepris ce pèlerinage avec sa fille âgée de douze ans. La pauvre enfant vient de perdre sa mère et sa santé, déjà précaire, est fort compromise. Son père, au comble du désespoir, a voulu offrir sa souffrance au bon saint Jacques et a conduit sa fille jusqu'à Compostelle.

Je l'écoutais sans saisir en quoi cela me concernait.

— Enfin, tous deux, épuisés, ont pu pénétrer dans la basilique et, lorsque la fillette s'est agenouillée au pied du tombeau du saint, elle a eu une vision. Un halo de lumière l'a nimbée et une voix lui a prédit qu'elle serait sauvée par une demoiselle vêtue sobrement d'une robe brune aux couleurs de la Vierge répondant au nom d'Olympias.

Une vague de chaleur m'empourpra les joues, des tremblements agitèrent mes membres. Je réussis à bredouiller :

— Il y a certainement une méprise. Ce ne peut pas être moi.

Mme de Loubert soupira à son tour.

— Ce gentilhomme est persuadé que celle désignée par la voix vit dans la Maison Royale d'Éducation.

L'idée d'être placée, par une enfant inconnue, au rang de sainte me troubla. J'étais indigne d'assumer ce rôle et je refusais de tromper cette fillette. Je me défendis :

— Beaucoup de religieuses sont habillées de brun.

— Certes. Mais seule notre maison distingue ses demoiselles par des rubans de couleur. Vous portez un ruban bleu, la couleur de la Vierge, et vous êtes la seule à avoir le prénom d'Olympe qui est le diminutif d'Olympias.

Cette fois, je restai muette.

— Les Évangiles et la Bible nous enseignent que Dieu et ses saints choisissent souvent les êtres les plus effacés pour accomplir leurs missions, reprit la mère supérieure.

Je ne souhaitais ni cet honneur ni cette charge. Je ne rêvais que d'une chose : être comédienne, et voilà que l'on me donnait le rôle de sainte afin que je sauve cette enfant. Écrasée par cette responsabilité, j'aurais voulu refuser, dire que je préférais rester avec mes compagnes, que la vie de sainte n'était point pour moi, que c'était de théâtre, de musique, de voyages que je rêvais, mais aucun son ne parvint à franchir mes lèvres et je baissai la tête.

— Mme de Maintenon a hésité, mais le fait que cette enfant innocente ait eu cette vision devant les reliques du grand saint Jacques, à qui Madame voue un véritable culte, l'a convaincue de vous autoriser à quitter Saint-Cyr. Et puis, elle connaît bien le père de cette petite Marie.

— Elle s'appelle Marie ? soufflai-je.

— Oui. C'est un signe de plus, n'est-ce pas ?

Tous ces signes m'accablaient. Étais-je vraiment celle que Dieu voulait mettre sur le chemin de

Marie ? Avais-je le droit de refuser d'accomplir les vœux du Seigneur ?

— Nous sommes fières que le ciel ait élu une demoiselle de notre maison. Montrez-vous digne de cette mission.

L'air me manquait.

— Son père viendra vous chercher demain, poursuivit la supérieure. En attendant, nous vous conseillons de jeûner et de passer la nuit en prière. Demain matin, vous vous confesserez, puis vous assisterez à l'office avant de nous quitter.

Je m'affolai. Quoi, si vite ? Devinant sans doute mes interrogations, la mère supérieure poursuivit :

— Mme de Maintenon a jugé que l'isolement vous permettrait de vous préparer à assumer cette charge, aussi vous ne reverrez point vos camarades.

— Mais je...

— Nous leur expliquerons et elles comprendront.

— Mais je...

Encore une fois, j'aurais voulu refuser, mais l'obéissance qu'on nous avait inculquée depuis notre plus jeune âge fut la plus forte.

La novice m'accompagna à la chapelle. Je tombai à genoux. Mes jambes ne me portaient plus, ce qu'on exigeait de moi était trop lourd. Je comptais sur la prière pour me calmer, mais les mots que je marmonnais étaient dénués de sens. J'avais l'horrible sensation que le ciel s'était trompé de personne en me désignant, à moins qu'il ne voulût me soumettre à une abominable épreuve afin de me faire expier une faute. De quelle faute pouvait-il s'agir ? Est-ce que dans ma petite enfance j'aurais commis un geste irréparable que mon esprit m'occulterait ? Est-ce là l'origine de mes cauchemars ?

Il me semblait que seule Mme de Maintenon avait la réponse à toutes ces questions puisque c'était elle qui m'avait recueillie. En quittant Saint-Cyr, je n'avais plus aucune chance de connaître les mystères entourant mon enfance.

Soudain, une idée me glaça d'effroi : et si Mme de Maintenon m'éloignait d'elle afin que jamais je ne découvre ce terrible secret ?

CHAPITRE

4

La cloche sonnant six heures me tira de la léthargie dans laquelle j'avais sombré. La novice avec qui je n'avais point échangé un mot se leva et m'offrit avec déférence sa main pour m'aider à me relever, ce qui m'étonna grandement.

— Grâce à votre présence, il m'a semblé que le ciel entendait mieux mes prières, susurra-t-elle d'une voix où perçait l'émotion.

Sa phrase me surprit encore plus que son geste. J'aurais voulu lui dire qu'elle se méprenait, que je n'avais rien de mystique, que je ne communiquais pas avec les cieux, mais son visage illuminé m'empêcha de la détromper.

— Je me sens toute pleine de l'esprit de Dieu, ajouta-t-elle.

Je me sentais surtout épuisée, les genoux meurtris, le dos douloureux et le ventre affamé. Je ne pus m'empêcher de penser à cette sainte dont on nous avait lu la vie (son nom m'échappait). Elle restait des jours et des jours sans manger, mais l'hostie consacrée et la prière suffisaient à la nourrir. Elle était vraiment l'élue de Dieu et je ne l'étais point puisque j'avais faim.

Après la confession, j'assistai à l'office au milieu des dames de Saint-Louis. J'ignore encore quelle force me fit tenir debout, tant j'étais fatiguée et angoissée. J'aperçus mes compagnes dans la nef, mais il me fut impossible de leur parler. C'était bien cruel et je ne comprenais pas pourquoi on me l'interdisait. La seule prière que j'adressai aux cieux était : « Je vous en supplie, Seigneur, laissez-moi ici. » Et je priai avec tant de ferveur cette fois que je m'attendais à ce qu'un événement extraordinaire se produisît.

Las, aucun coup de tonnerre divin ne résonna, et lorsque mes compagnes quittèrent la chapelle, je les suivis des yeux tandis qu'une larme coulait sur ma joue. Leur avait-on dit pourquoi j'étais contrainte de quitter Saint-Cyr ? S'imaginaient-elles qu'un gentilhomme m'avait demandée en mariage ? Ou pensaient-elles qu'un membre de ma famille venait soudainement de me rappeler près de lui ? Se doutaient-elles de mon désarroi ?

Oh, j'aurais tant eu besoin de leur présence réconfortante !

C'est avec beaucoup d'égards que la novice me conduisit dans le bureau de Mme de Maintenon. Notre bienfaitrice m'accueillit avec un souris aussi doux qu'une caresse :

— Ah, mon enfant, je suis si heureuse ! Je suis certaine que Dieu vous a désignée pour accomplir de grandes choses. Et qu'Il ait choisi une demoiselle de notre maison me comble. Cela éteindra définitivement les rumeurs qui prétendent que notre éducation est trop permissive.

Le moment était venu de m'exprimer. Durant les longues heures passées à la chapelle, j'avais essayé de mettre en forme une phrase... mais devant Mme de Maintenon, je perdis mes moyens, et je parvins seulement à bredouiller :

— Je ne suis pas digne, madame, de...

— Vous l'êtes. Lorsque je vous ai recueillie, vous étiez dans un tel état que j'ai immédiatement pensé que si Dieu vous imposait une pareille souffrance, c'était pour vous appeler à une grande destinée.

Ainsi, je ne m'étais point trompée. Elle savait ce qu'il était advenu de mes parents. La gorge sèche, je repris :

— Ah, madame, si vous pouviez me dire...

— Il ne sert à rien de remuer le passé. Il ne faut songer qu'à votre sainte mission.

Le voile recouvrant mon enfance avait failli se soulever mais une main de fer l'avait maintenu. Je suffoquais. Une fois encore, un cri de révolte monta en moi et se bloqua dans ma gorge. Anéantie, je baissai la tête. Ma vie était tracée d'avance et, comme mes compagnes avant moi, je devais me contenter d'obéir.

— Venez, me dit Mme de Maintenon, nous vous avons préparé des vêtements pour le voyage, car vous ne pouvez pas sortir avec l'uniforme de notre maison.

Elle m'indiqua un paravent. Une novice m'y attendait, tenant des hardes à la main. Il s'agissait d'une jupe de lainage brun et d'un bustier. Ils étaient taillés dans la même étoffe que nos tenues, mais ne comportaient aucun ruban.

Lorsque je quittai la protection du paravent, Mme de Maintenon m'examina d'un rapide coup d'œil puis, sans doute satisfaite, elle ajouta :

— Je vais vous conduire auprès du père de Marie. C'est un homme très pieux, de grand mérite, et en qui j'ai toute confiance.

Je suivis Mme de Maintenon. Mme de Loubert nous accompagna. Lorsque nous pénétrâmes dans le parloir, l'homme n'était pas derrière la grille de bois comme la coutume l'exigeait. Il était debout, au milieu de la pièce. Je l'examinai discrètement. Il était vêtu sobrement, aucun ruban ne pendait à ses bas, aucun galon d'or ou d'argent n'ornait sa veste de drap sombre et sa perruque était mal positionnée sur sa tête. À sa mise, je déduisis que c'était un homme sans grande fortune. Poliment, je lui accordai une petite révérence.

— Voici donc celle que les cieux ont désignée pour sauver Marie, prononça-t-il d'une voix émue.

— Oui. Il ne peut pas y avoir de doute. Elle se nomme Olympe, c'est la seule à porter ce prénom et elle est depuis peu dans la classe bleue.

Il mit un genou en terre devant moi et me saisit les mains. Son attitude me gêna. Être subitement transformée en sainte, alors que la veille encore je ne rêvais que de théâtre, était pour le moins incongru. J'aurais voulu lui dire qu'il y avait certainement une erreur, mais la ferveur de cet homme glissa le doute dans mon esprit. Étais-je vraiment appelée par les cieux pour sauver sa fille ?

— Il n'est pas dans les usages de notre maison qu'une demoiselle en sorte avant ses vingt ans, ajouta Mme de Maintenon après un long silence, sauf si c'est pour un mariage avantageux.

Le gentilhomme se redressa d'un coup, et piqué au vif, il répliqua :

— Ah, madame, je suis un veuf inconsolable et l'idée de me remarier ne m'a jamais effleuré.

— Vous me l'avez expliqué et c'est parce que je connais votre sagesse et votre foi que je vous confie cette demoiselle.

— Vous pouvez le faire sans crainte, madame. Je la considérerai comme ma fille. Elle prendra la place de ma chère Éléonore dont je n'ai, pour l'heure, aucune nouvelle.

Éléonore ? Se pouvait-il qu'il s'agisse de notre compagne partie quelque temps plus tôt pour épouser l'ambassadeur de Saxe ? J'en doutais tout en me disant que la fortune est bien curieuse et s'amuse parfois à nous jouer des tours.

Je jetai un regard à Mme de Maintenon en espérant qu'elle allait m'éclairer sur l'identité de celui à qui elle me donnait. Il n'en fut rien.

Elle prit un ton solennel pour me dire :

— Allez, maintenant, et montrez-vous à la hauteur de votre destinée.

Quelques minutes plus tard, j'étais dans la cour, sans bagage, les bras ballants, le cœur chaviré d'abandonner mes amies et ce lieu qui m'avait protégée, l'esprit en déroute parce que je me savais incapable de remplir la fonction que l'on m'attribuait.

Le gentilhomme ouvrit la porte d'une calèche dans laquelle je montai. Je m'assis sur la banquette, il s'installa à mon côté. Lorsque le cocher fouetta les chevaux, je regardai Saint-Cyr disparaître par la fenêtre, mais alors que les larmes s'apprêtaient à envahir mes yeux, une pensée les arrêta soudainement : j'étais libre !

N'était-ce pas ce que je souhaitais ? J'avais envié Louise, Charlotte, Isabeau, Hortense et Éléonore lorsqu'elles avaient quitté Saint-Cyr et c'était mon tour ! Peu importait, après tout, le motif de mon départ. L'essentiel était de pouvoir enfin réaliser mon rêve : devenir comédienne. Il me suffirait de choisir le bon moment pour fausser compagnie à ce gentilhomme. Ensuite, j'irais me présenter à une troupe et mon talent ferait le reste !

5

Nous roulâmes longtemps. Cela m'inquiéta.

Naïvement, j'avais imaginé que ce gentilhomme vivait à Versailles ou à Paris. C'était là qu'étaient installées les troupes de théâtre les plus fameuses et surtout la Comédie-Française. C'était donc là que je devais être si je voulais avoir une chance de devenir comédienne.

Il n'avait pas ouvert la bouche depuis notre départ. Mon éducation m'interdisait de le questionner, mais je m'agitais si fortement sur mon siège qu'il finit par s'enquérir :

— Êtes-vous incommodée par le voyage et voulez-vous que nous fassions une halte ?

— C'est que je le trouve fort long.

— Nous n'avons parcouru que dix lieues, me répondit-il, et nous en avons dix fois plus à faire.

Hébétée, je répétai :

— Dix fois plus ?

— Je vis dans le Bourbonnais, à quelques lieues de Moulins. On ne vous en avait point informée ?

— Non, monsieur. J'ignore même votre nom.

Je le vis froncer les sourcils, mais il ne se permit pas de critiquer les pratiques de notre maison et il enchaîna :

— Je me nomme François d'Aubeterre et...

Un cri m'échappa :

— D'Aubeterre comme... comme Éléonore !

— Oui. Éléonore est ma fille. J'ai accordé mon consentement à regret pour qu'elle épouse le sieur von Watzdorf, ambassadeur de Saxe. Il me semblait que c'était pour elle un bon établissement. Mais le baron a quitté la France pour regagner son pays et depuis nous n'avons aucune nouvelle. Je crois que c'est ce qui a tué ma pauvre épouse. Elle n'a même pas eu la joie de savoir que Gilberte et Antoinette venaient d'entrer à Saint-Cyr.

J'étais si abasourdie par ce que je venais d'entendre que je bredouillai :

— Ah, deux de vos filles sont à Saint-Cyr ?

— Je les ai accompagnées hier. C'est une grande chance pour elles. Nos demandes avaient tout d'abord été refusées, mais sans doute grâce à l'intervention du baron von Watzdorf, ami de Mme de Maintenon, elles ont finalement été acceptées. Elles recevront l'éducation que je ne peux pas leur offrir et seront dotées par le Roi.

— J'ai moi-même été très bien accueillie à Saint-Cyr dans mon jeune âge.

— Ah, cette institution sauve de la misère et de l'inculture de nombreuses demoiselles de qualité ! Les filles sont une charge bien lourde pour les familles désargentées. Mme de Maintenon est une sainte et je prie chaque jour pour que Dieu lui accorde une longue vie.

M. d'Aubeterre souleva le mantelet de cuir couvrant la fenêtre et regarda un instant défiler le paysage. Je crus que l'entretien était terminé, mais il poursuivit :

— Mon épouse et moi avons eu six filles. Catherine, l'aînée, est mariée. Joséphine, qui doit avoir à peu près votre âge, a remplacé mon épouse pour tenir la maison et s'occuper de Marie dont la santé se dégrade de jour en jour.

— C'est elle qui...

— Oui. Marie est différente de ses sœurs, c'est une enfant calme et très pieuse. Lorsqu'elle m'a parlé de la vision qu'elle avait eue à Compostelle, je n'ai même pas été étonné.

Saisissant l'occasion pour en apprendre un peu plus sur cette mystérieuse apparition, j'insistai :

— Il est curieux qu'elle m'ait désignée, moi.

— Ce n'est point elle qui vous a désignée, mais la voix de saint Jacques. Marie a si longuement prié pour que les cieux lui viennent en aide... et cette aide passe par votre intermédiaire.

Tout cela lui paraissait si évident que, à mon tour, je me dis que peut-être j'étais cette personne qui allait sauver Marie. J'ignorais comment, mais je pensais qu'un signe divin m'indiquerait ce que j'aurais à faire le moment venu.

Comme quelques heures auparavant, M. d'Aubeterre me saisit les mains avec ferveur et me dit :

— Je compte sur vous. Marie est celle qui ressemble le plus à ma chère épouse disparue et elle souffre tant. Si elle venait à mourir à son tour, je ne le supporterais pas.

Devant le désarroi de cet homme j'assurai :

— Je ferai tout mon possible, monsieur.

Nous mîmes six jours à atteindre le Bourbonnais. Contrairement à ce que j'avais craint, le temps ne me parut pas long. Je découvrais le monde, tant il est vrai que je n'avais, depuis mon plus jeune âge, que le jardin de Saint-Cyr pour horizon. Tout me semblait grand, beau, nouveau. M. d'Aubeterre était un bon guide. Lorsque nous traversions des forêts, il me parlait des animaux qui les peuplaient et des différents arbres qui les composaient, me désignant les châtaigniers, les frênes, les bouleaux, les charmes, les chênes.

— Marie est très proche de la nature. Elle aime s'asseoir au pied des arbres. Je crois même qu'elle leur parle.

Il garda le silence un moment et reprit :

— Les animaux sauvages ne la craignent pas. Il y a peu, un jeune faon dont la mère avait été tuée pendant la chasse est venu se réfugier dans ses bras.

Puisque M. d'Aubeterre me faisait l'amitié de se confier à moi, j'en profitai pour l'interroger :

— De quoi souffre Marie ?

— Le médecin affirme que de mauvaises humeurs ont pris possession de sa rate. Le chirurgien la saigne tous les deux ou trois jours et lui administre des purgations, mais rien n'agit. Elle ne mange plus, ne supporte plus la lumière du soleil et ses forces diminuent.

L'ampleur de la tâche me fit frémir. Comment allais-je pouvoir secourir cette fillette si Dieu ne m'assistait pas ? Et qu'avais-je fait pour mériter son aide ? Rien. Enfin rien dont je me souvienne...

Fort heureusement, M. d'Aubeterre ne se laissa pas envahir par l'émotion et prit, me sembla-t-il, beaucoup de plaisir à me commenter ce que nous voyions.

Lorsque nous faisions halte dans une ville, il en connaissait presque toujours l'histoire, me nommant des grands noms du royaume qui y avaient laissé leur empreinte, soit en livrant bataille pour la conquérir, soit en la défendant chèrement afin d'empêcher l'ennemi d'y pénétrer.

À notre première halte à Dourdan, il me dit :

— Hugues Capet est né dans cette ville et Blanche de Castille y séjourna. Anne d'Autriche posséda le domaine et il appartient maintenant à Philippe d'Orléans, frère de notre roi.

À Étampes, il m'apprit que Louis VII le Jeune avait, en 1147, réunit le concile dans ce lieu pour préparer la IIe croisade.

En arrivant à Orléans, un curieux phénomène se produisit. Je regardais ces bâtisses, ces ponts, ces églises sans étonnement mais au contraire avec la curieuse impression de les connaître. Oh, ce fut très fugace, un peu comme lorsqu'on retrouve sur la langue le goût d'un fruit que l'on n'a pas encore en bouche. Je me souvins avoir éprouvé un senti-ment similaire lorsque notre maîtresse nous avait enseigné que Jeanne, la Pucelle de France, avait libéré Orléans des Anglais. Le nom de cette ville me rappelait vaguement quelque chose, mais il est vrai que les images que nous recevions dans la classe rouge en guise de récompense représentaient des saints et des saintes. Jeanne d'Arc en armure sur son cheval, brandissant sa bannière, devait en faire partie. Pendant tout le temps que nous demeurâmes à Orléans, je fus troublée, entre le bonheur d'entre-voir peut-être un bout manquant de mon passé et la crainte de faire fausse route. J'étais si perturbée que, lorsque nous fûmes à l'auberge, je refusai de quitter ma chambre et ne parvint pas à avaler le moindre mets que M. d'Aubeterre, toujours préve-nant, m'avait fait monter. Comme il s'en inquiétait, je le rassurai :

— Ce n'est rien. La fatigue du voyage, sans doute.

À Gien, lorsque notre calèche s'engagea sur un pont, M. d'Aubeterre me dit :

— Il a été édifié en 1484 par Anne de Beaujeu, duchesse d'Auvergne. Avant lui, tous les ponts ont été emportés par les crues de la Loire.

Me sentant en confiance, je lui répondis :

— C'est parce qu'une femme l'a fait construire que la Loire n'a point voulu le détruire.

Il sourit et ajouta :

— Vous avez raison. L'histoire regorge de grandes dames qui ont changé la face du monde. La première, bien sûr, était Ève, puis il y eut Cléo-pâtre, reine d'Égypte, et tant d'autres.

J'ignorais ce qu'avait fait Cléopâtre, car l'histoire antique nous était interdite depuis que M. Godet des Marais s'occupait du salut de nos âmes. Mais je pensai que bientôt, grâce à M. d'Aubeterre, j'allais apprendre en peu de temps plus de choses qu'en huit ans d'enseignement dans la maison de Saint-Louis.

— Je serais heureux de partager avec vous ma passion de l'histoire, reprit M. d'Aubeterre. Le passé est plus riche en événements et beaucoup plus divertissant que n'importe quel roman à la mode !

Nous nous arrêtions dans des auberges fort modestes, mais M. d'Aubeterre s'arrangeait toujours pour que j'aie la meilleure chambre, même s'il devait dormir dans la paille avec Léon, le cocher. Le premier soir, j'avais refusé, assurant qu'un homme de sa qualité n'avait point à céder la place à une demoiselle sans titre, ce à quoi il me répondit :

— Vous êtes envoyée par les cieux pour sauver ma fille et cela vous place au-dessus du commun des mortels.

Fort curieusement, lorsque nous bavardions dans la voiture, il ne me considérait pas comme un être à part, ce qui me convenait fort bien. Que le soir venu il me plaçât au rang des anges ou des saints me dérangeait.

Son incohérence prouvait que la confusion qui habitait son esprit était identique à la mienne.

La nuit commençait à tomber lorsque nous arrivâmes en vue de Moulins. Cette dernière étape avait été plus longue que les précédentes. Il avait été prévu une halte à Nevers, mais M. d'Aubeterre m'avait dit :

— Ne pas avoir de nouvelles de Marie depuis plus de quinze jours me mine. Nous ne sommes qu'à dix lieues de mon domaine, verriez-vous un inconvénient à ce que nous nous y rendions sans faire de halte ?

— Aucun, monsieur. J'ai moi aussi grande hâte de rencontrer votre fille.

Le soleil couchant faisait miroiter l'eau de l'Allier lorsque nous empruntâmes le pont.

Puis, lorsque nous atteignîmes les faubourgs, il me dit en désignant un bâtiment :

— Nous avons à Moulins les meilleurs armuriers du royaume, ce sont eux qui ont fabriqué la première armure de Louis XIII : il n'avait que deux ans.

Notre calèche roula encore quelques longues minutes. La pluie s'était mise à tomber et tambourinait sur le cuir de la capote, empêchant toute discussion. Au fur et à mesure que nous approchions, je voyais l'inquiétude se peindre sur le visage de M. d'Aubeterre.

— Pourvu qu'il ne soit rien survenu de fâcheux à Marie, s'alarma-t-il lorsque la voiture franchit l'enclos du parc.

Bien que je ne connusse point encore cette fillette, l'anxiété de son père me gagna et j'appréhendai à mon tour une mauvaise nouvelle.

Dès que la voiture s'arrêta devant le perron, il en bondit, oubliant de me tendre la main pour m'aider à descendre. Je jetai un regard par la portière ouverte. La maison semblait inhabitée. Aucune lueur ne filtrait derrière les fenêtres, aucun domestique ne se précipita au-devant de nous. J'hésitais à sortir. Je craignais que la pluie, qui avait redoublé de violence, ne gâtât la seule tenue dont je disposais et qui avait déjà été malmenée pendant le voyage. Et puis, cette maison, entourée de grands arbres, me parut sinistre.

Soudain, une idée me vint. J'étais seule. Je pouvais m'enfuir. Courir en direction de Moulins que nous venions de dépasser, échapper à ce destin de sainte qui n'était pas le mien et chercher par tous les moyens à réaliser mon rêve : devenir comédienne.

CHAPITRE

6

J e ne le fis pas.

Quelque chose me retint à l'instant même où je posai le pied à terre. Une partie de moi me soufflait : « Va-t'en ! », tandis qu'une autre me disait : « Une fillette a besoin de toi, ici. » Et puis, pourquoi ne pas l'avouer, la pluie et la nuit ne m'encouragèrent point.

Je courus en direction du perron, en soulevant ma jupe à deux mains afin de lui éviter de traîner dans la boue. Les cheveux ruisselants, le dos mouillé, je poussai moi-même la lourde porte et j'entrai dans une pièce sombre et glaciale. Aucun domestique ne vint à moi avec une chandelle, et lorsque la porte eut claqué dans mon dos, le silence du lieu m'effraya. J'avais le sentiment désagréable qu'il n'y avait pas âme qui vive dans ce lieu, à part moi. Je frissonnais, jetant des regards apeurés alentour. M. d'Aubeterre devait pourtant bien être dans la maison. J'entrepris de le chercher.

Apercevant la masse imposante d'un escalier montant à l'étage, j'en gravis les degrés en me tenant à la rampe, car aucune chandelle n'étant allumée, je craignais de trébucher. Pour troubler le silence, je parlai à haute voix :

— Je croyais être attendue comme le Messie, et voilà qu'il n'y a personne dans cette maison !

Soudain, une idée folle vint augmenter le trouble de mon esprit.

N'étais-je pas tombée dans un piège ? Est-ce que ce M. d'Aubeterre ne m'avait pas fait quitter Saint-Cyr sous un faux prétexte pour me séquestrer, abuser de moi, peut-être même se livrer à des pratiques diaboliques dans ce lieu isolé et sinistre ?

Fuir. Je devais fuir. Tant pis pour la pluie, la nuit, l'éloignement. C'était une question de survie.

Je fis demi-tour et descendis aussi vite que possible les degrés que j'avais gravis. J'atteignais la porte lorsque M. d'Aubeterre cria de la cime de l'escalier :

— Venez, Marie vous réclame !

Sa voix angoissée fit s'évanouir toutes mes idées sombres. Je levai la tête vers la lueur du chandelier qu'il tenait à bout de bras pour m'éclairer et je montai le rejoindre.

Je le suivis. Nous traversâmes quatre ou cinq pièces vides de meubles. Une désagréable odeur d'humidité et de renfermé me fit froncer le nez. Nos pas résonnaient sur le parquet qu'aucun tapis n'agrémentait, et comme aucune tenture n'obstruait les fenêtres, j'aperçus la masse sombre d'une forêt proche. Nous arrivâmes enfin devant une porte close.

— Marie va mal, m'informa M. d'Aubeterre. Elle ne mange presque plus. Joséphine a craint que nous n'arrivions trop tard. Mais Dieu merci, vous êtes là.

Il pénétra dans la pièce en lançant d'un ton faussement enjoué :

— Ma chère enfant, voilà celle que vous attendiez !

Un feu crépitait dans la cheminée, contre laquelle un lit était installé. Une jeune fille vêtue d'une robe de chambre qui me parut fort défraîchie se leva du fauteuil où elle était assise et s'avança vers moi. Avant que je n'aie pu faire un geste, elle me saisit la main et la baisa sans un mot. Gênée, je la retirai vitement. Mal à l'aise, je fis un pas en direction du lit. Calée par des carreaux[1], je découvris le visage émacié de Marie, son nez pincé, ses grands yeux

1. Coussins, oreillers.

noirs cernés, et ses longues mains maigres posées sur la courtepointe de laine. Je me souviens m'être dit qu'elle n'était point belle, mais qu'il émanait d'elle quelque chose d'étrange qui captivait. Elle me sourit, d'un souris... comment le décrire ? Un souris doux et lumineux. Mais ce n'est pas exact, car ses lèvres n'avaient point bougé, seul son regard s'était éclairé.

— Vous êtes Olympe ? me demanda-t-elle.

— Oui, demoiselle.

— Oh, s'il vous plaît, appelez-moi Marie, puisque nous allons devenir amies.

Comme en proie à une inquiétude soudaine, son visage s'assombrit et elle ajouta :

— Vous voulez bien être mon amie, n'est-ce pas ?

Le motif qui m'avait fait quitter Saint-Cyr n'était point l'amitié, il était beaucoup plus grave et délicat ; aussi, un peu décontenancée, je lâchai :

— Certes.

Cette fillette ressemblait à n'importe quelle enfant de son âge. Or, puisque, d'après son père, elle avait entendu une voix divine, je m'étais imaginé qu'un signe céleste la distinguerait du commun des mortels. Je n'en vis aucun.

Je pensais qu'elle allait m'entretenir de ce qu'elle attendait de moi. Je pensais qu'elle allait, elle aussi, me dévisager, me poser des questions, essayer de percer ma personnalité et s'assurer qu'elle ne s'était pas trompée en me désignant. Il n'en fut rien.

— Vous devez être fatiguée, me dit-elle. Je le suis aussi de vous avoir attendue si longtemps. À présent, tout est bien. Vous êtes là. Je vais pouvoir dormir.

M. d'Aubeterre baisa le front de sa fille en lui souhaitant une bonne nuit et m'invita à le suivre.

— Venez, votre chambre est à côté.

Il alluma une chandelle à un tison, puis ouvrit une porte face à celle par laquelle nous étions entrés. La pièce était petite, sans fenêtre. Un lit, un coffre, une table et une chaise en occupaient toute la surface, car il n'y avait point de cheminée.

— C'était l'antichambre, mais Marie a voulu que vous soyez proche d'elle. Pourtant, si cela ne vous convient pas, je...

— C'est parfait, monsieur. Avoir une chambre pour moi seule est un luxe auquel je ne suis pas habituée.

— Joséphine vous a laissé des draps et une couverture, vous devrez faire votre lit, car nous n'avons point de domestique, à part la cuisinière.

— Cela ne me gêne en aucune manière. À Saint-Cyr aussi nous faisions nos lits.

Dès qu'il eut refermé la porte, je me laissai tomber sur le lit, épuisée par le voyage et par l'émotion de cette première rencontre avec Marie. Je ne savais plus où j'en étais et j'essayais d'analyser ma situation. Que me réservait la vie dans cette maison ? Qu'attendait-on de moi ? Comment allais-je pouvoir aider cette fillette puisque je n'avais, apparemment, aucun don divin ? Devrais-je le lui avouer sans tarder au risque de l'anéantir ? Devrais-je la laisser le découvrir au fil des jours ? Et moi, n'allais-je pas mourir d'ennui dans ce lieu ? J'avais l'impression d'avoir usurpé une place qui n'était pas la mienne. Du regard, je fis le tour de la pièce. Jusqu'à ce jour, je n'avais dormi que dans le dortoir de Saint-Cyr, entendant le souffle de mes compagnes, quelques bavardages, les cris de celles que des cauchemars visitaient. Là, tout était silencieux.

Allongée sur le lit, j'eus, une fraction de seconde, la vision d'une autre chambre : un rayon de soleil traverse les carreaux d'une fenêtre, caresse les courtines d'un lit où je repose sur des carreaux moelleux, et se pose sur un large coffre ouvragé.

CHAPITRE

7

Un bruit m'éveilla.

J'ouvris les yeux. Un rai de lumière filtrait sous la porte donnant accès à la pièce contiguë à ma chambre. C'était le matin. Je m'étais endormie tout habillée sur le lit. J'en fus un peu honteuse, car ma tenue avait été mise à mal dans mon sommeil et je n'en avais point d'autre...

Je me levai vitement, dans la demi-obscurité, j'ajustai mon jupon, tendis mes bas, resserrai mon corps[1] et défroissai ma jupe du plat de la main. Sur la table, il y avait une cruche de faïence pleine d'eau et une cuvette. Je me bassinai le visage et les mains et me rinçai la bouche. Un

1. Corset.

linge plié sur le dossier de la chaise me permit de m'essuyer. Je rectifiai ma coiffure avec les doigts et...

On toqua à la porte. À mon invitation, Joséphine entra, un chandelier à la main. Elle me regarda avec insistance comme si elle cherchait à apercevoir sur moi des signes de sainteté. Je supposai que c'était ainsi que j'avais regardé Marie la veille. J'avais été, cependant, plus discrète.

— Bonjour, lâcha-t-elle, ma sœur vous attend.

Je sentis une pointe d'animosité dans sa voix. J'en fus chagrine. Était-elle vraiment déçue de ne pas déceler en moi une once de sainteté ? S'attendait-elle à voir les stigmates[1] sur mon corps ? Croyait-elle que j'étais une intrigante voulant profiter de la situation ? Pourtant, la veille, elle m'avait baisé les mains avec transport. Avait-elle changé d'avis après la brève conversation que j'avais eue avec sa sœur ? Était-elle venue m'observer pendant la nuit et avais-je prononcé dans mon sommeil des paroles susceptibles de l'inquiéter ?

Je ne savais que penser.

Marie était assise sur son lit, le dos calé par de gros carreaux de plumes, une chandelle l'éclairait faiblement. Gentiment, elle me demanda :

— Avez-vous bien dormi ?

1. Marques miraculeuses disposées sur le corps comme les cinq blessures du Christ.

— Heu, à dire vrai... je me suis endormie tout habillée et je...

— Et vous n'avez pas même eu le temps de vous changer, n'est-ce pas ?

— C'est que... en fait, je...

Comment avouer que je n'avais aucun vêtement de rechange sans mourir de honte ?

— Vous n'avez pas de bagage ?

— En effet. La règle de Saint-Cyr veut que lorsque nous partons, nous n'emportions rien qui appartienne à cette maison.

— Joséphine, n'as-tu pas une jupe, un bustier, un jupon, une chemise à offrir à Olympe ?

— Certes, lâcha la jeune fille, les lèvres pincées.

— Alors, cours les chercher. Je veux qu'elle se sente bien chez nous.

J'étais debout à quelques pieds du lit, ignorant comment me comporter vis-à-vis de cette fillette que le ciel avait distinguée. Je ne pouvais me départir d'un sentiment de culpabilité parce que je savais bien, moi, qu'il y avait erreur sur la personne. Je devais l'avouer le plus vite possible afin que cette enfant ne se fît pas d'illusion sur ses chances de guérison par mon intermédiaire.

— Approchez-vous, me dit-elle en me tendant la main.

Je m'avançai et lui saisit la main qu'elle m'abandonnait. Elle était petite et chaude. J'eus l'impression d'emprisonner un oiseau.

— Ah, je suis bien, ce matin, murmura-t-elle, un faible souris sur les lèvres.

— Justement, je voulais vous dire...

Son souris s'effaça et elle s'inquiéta :

— Vous... vous ne vous plaisez point chez nous ?

— Si, mais je ne suis pas celle que...

Sa main s'amollit dans la mienne, son regard se voila :

— Si vous deviez partir, j'en mourrais et...

Elle retira sa main, la porta à sa gorge d'où s'échappa un souffle rauque qui m'affola.

À cet instant, Joséphine revint. Elle laissa tomber sur un fauteuil les vêtements qu'elle tenait sur l'avant-bras, courut vers sa sœur et me tança vertement :

— Que lui avez-vous conté pour la mettre dans cet état ?

— Rien, je...

Elle ne m'écouta pas. Elle avait saisi un flacon sur la table de chevet et le passa sous les narines de sa sœur, puis elle trempa prestement un linge dans une cuvette et lui tapota les tempes, les joues et le cou tout en psalmodiant :

— Là, là, calme-toi. Respire doucement, doucement.

Marie paraissait lutter contre un ennemi invisible qui l'entraînait vers la mort. Je fixais son visage, comme si par la force de mon regard je pouvais la maintenir en vie. C'était ridicule, mais je ne pus m'en empêcher.

Quelques minutes plus tard, Marie avait recouvré son souffle. Je recouvrai le mien aussi, car je me rendis compte que tout le temps où elle avait souffert, j'avais réglé ma respiration sur la sienne comme pour la soutenir dans son effort.

Elle était épuisée.

— Sortez ! m'ordonna Joséphine, Marie va dormir.

— Non ! cria la petite d'une voix forte dont je ne l'aurais jamais crue capable.

— Tu es fatiguée, il faut te reposer, insista Joséphine.

— Le repos me fatigue plus qu'il ne me repose, lança Marie d'une traite.

Sa sœur ouvrit des yeux ronds d'incompréhension. Elle haussa les épaules, s'approcha du fauteuil pour s'y asseoir, comme, je le suppose, elle devait le faire habituellement.

Le silence s'installa, puis, comme si elle avait longuement réfléchi, Marie le rompit :

— Avez-vous eu du pain et un fruit pour déjeuner ?

— Heu... non.

— Vous devez avoir grand-faim, car hier soir vous n'avez point soupé. Nous sommes de bien mauvais hôtes. Joséphine, peux-tu aller quérir quelque chose à manger pour mon amie ?

Joséphine s'exécuta de mauvaise grâce. Dès qu'elle fut sortie, Marie me dit d'un petit ton complice :

— Joséphine est adorable. Elle me soigne de son mieux. Mais elle ne peut pas me guérir parce que... parce que... parce que la vie est trop lourde pour moi.

À nouveau elle me tendit sa main que je serrai avec affection.

— Tous ceux que j'aime s'en vont et m'abandonnent... Il y a d'abord eu le départ d'Éléonore, le mariage de Catherine, puis le décès de ma chère maman et...

Les larmes lui montèrent aux yeux. Elle les refoula et poursuivit :

— J'avais déjà une santé chancelante, mais depuis elle se détériore de jour en jour. Papa a insisté pour ce pèlerinage à Saint-Jacques. Un long voyage est une bien rude épreuve, mais j'étais heureuse d'offrir ma souffrance aux saints du paradis. Et brusquement, il y eut cette lueur et cette voix...

J'étais suspendue à ses lèvres. J'allais enfin entendre le récit par la bouche de celle qui avait vécu la scène. Je l'encourageai :

— Et cette voix vous a parlé de moi ?

— Je le pense. Les paroles n'étaient pas distinctes comme lorsque nous parlons, vous et moi... c'est difficile à expliquer. La lueur était vive et douce à la fois, mais le son venait de nulle part... comme s'il m'arrivait directement à l'esprit sans passer par l'ouïe. Oh, je sais, c'est incroyable. C'est ce que je me suis dit aussi, pourtant...

Elle retira sa main et s'agita, tournant la tête de droite à gauche et bougeant les jambes sous les couvertures. J'eus peur qu'elle se trouve mal comme l'instant d'avant et je tâchai de la raisonner :

— Voyons, calmez-vous.

— On pourrait imaginer que je suis folle ou possédée par le démon, il n'en est rien, je vous l'assure.

— Jamais je ne penserais cela !

Elle me sourit et ajouta :

— Je ne m'étais donc point trompée. Vous êtes bien celle que j'attendais.

— Mais que vous a dit précisément la voix pour que vous pensiez à moi alors que nous ne nous connaissons pas ?

— Elle m'a dit : « Une vierge répondant au nom d'Olympias te sauvera. »

— C'est tout ?

— Oui.

— C'est très vague... comment êtes-vous arrivée jusqu'à moi ?

— Très simplement. Éléonore de qui j'étais très proche nous a annoncé dans une lettre qu'elle jouait une pièce de théâtre devant le Roi et la Cour. Elle nous avait nommé les comédiennes qui l'accompagnaient. Seul votre prénom est resté gravé dans ma mémoire. J'ai oublié les autres... J'y ai vu comme un signe... C'était vous que les cieux me désignaient.

J'étais abasourdie.

Je n'eus pas le courage de la détromper. Et après tout, peut-être que, si les cieux l'avaient décidé, j'allais la sauver. Mille questions vinrent se bousculer dans ma tête. J'allais les poser lorsque Joséphine reparut, un plateau à la main.

— Prenez le fauteuil, m'ordonna Marie, vous n'allez pas manger debout.

Je m'assis. Joséphine posa le plateau sur mes genoux. À la vue du pain et de la pomme, mon appétit s'aiguisa, car je n'avais rien avalé depuis le frugal repas pris la veille à midi dans une auberge de campagne. Pourtant, je n'osais porter le pain à ma bouche en étant observée par les deux sœurs. Aussi, je proposai à Marie :

— Voulez-vous partager ce pain avec moi ?

— Marie n'a jamais faim le matin, coupa Joséphine.

Mais la fillette me répondit :

— Vrai, je le veux bien.

Joséphine me lança un regard étrange et je le lui rendis, étonnée de l'effet que je produisais sur Marie.

Je lui cédai la moitié de mon pain et elle le mangea de bon appétit. Elle accepta aussi un quartier de pomme.

Je me surpris à penser qu'il n'était point difficile d'accomplir des miracles.

Je me trompais.

8

Un prêtre vint célébrer la messe dans la chambre de Marie, dont les tentures fermées cachaient la lumière du jour. M. d'Aubeterre, Joséphine, la cuisinière et moi y assistâmes. Le prêtre fit un sermon dans lequel il n'était question que de renoncement aux plaisirs terrestres afin d'atteindre le paradis. C'était tout le contraire d'un discours destiné à encourager une enfant à s'accrocher à la vie. Lorsqu'il partit, Marie avait d'ailleurs un air triste et résigné qu'elle n'avait point en s'éveillant.

— Ce prêtre est un saint homme, m'affirma Joséphine. Il vient par tous les temps. Sans lui, cette maison serait la proie de Satan.

— De Satan ?

— Oui. La maladie de Marie est l'œuvre de Satan. Voici quelques mois, des traces rouges qui ressemblaient à des griffes sont apparues sur son visage. Le prêtre l'a exorcisée et les traces ont disparu. Mais il pense que le diable attend la moindre occasion pour s'emparer de l'âme de Marie.

L'évocation de Satan parut terroriser la jeune malade. Sa respiration devint saccadée, puis sifflante, elle étouffait. Joséphine se précipita sur elle, lui tapota les joues, puis le dos, en lui répétant :

— Respire lentement, calmement... là, tout va bien...

La scène était effrayante, car j'avais l'impression que la mort rôdait, toute proche.

Marie toussa, puis recouvra peu à peu son souffle. Elle était rouge et moite de sueur. Joséphine lui tamponna le visage d'un linge qu'elle humidifia dans la cuvette toujours posée sur la table.

On toqua à la porte et M. d'Aubeterre introduisit un médecin que je reconnus à sa longue robe noire. Sans un mot, il tâta le pouls de sa malade, inspecta sa langue, le blanc de ses yeux, grommela quelques mots en latin puis, se tournant vers M. d'Aubeterre, il assura :

— Toujours autant d'humeurs mauvaises. Il faut saigner.

Joséphine plaça un récipient de faïence blanche sous le bras de sa sœur. Le médecin donna un coup de lancette à hauteur du coude et le sang jaillit.

Une vision s'imposa alors à mon esprit : du sang, une mare de sang, des vociférations insultantes, des supplications... ma vue se brouilla. Un vertige me saisit. Je fermai les yeux et serrai les poings pour ne pas tomber en pamoison. J'espérais que mon trouble passerait inaperçu.

Lorsque le médecin jugea la quantité suffisante, il appuya sur la coupure avec un tampon d'étoupe, se leva et, sans un mot pour la fillette, il dit :

— Je reviendrai demain.

M. d'Aubeterre le raccompagna. Dans sa main, des pièces destinées à payer le médecin tintèrent.

— À présent, elle va dormir. Ne la quittez point une seconde, m'ordonna Joséphine, elle est si faible, et si ses crises surviennent, il faut agir vitement, sinon...

Elle ne termina pas sa phrase, mais ce qu'elle m'avait dit suffit à m'inquiéter. Pourvu que je sache accomplir le bon geste !

— Ne crains rien et vaque à tes occupations, dit Marie à sa sœur, tant qu'Olympe est près de moi, il ne peut rien m'arriver de fâcheux.

J'aurais voulu en être aussi certaine qu'elle.

Dès que sa sœur eut quitté la place, Marie me désigna le fauteuil dans la ruelle[1] de son lit et se plaignit :

— Ma sœur veut toujours que je me repose, mais j'ai peur, lorsque je m'assoupis, de ne point me réveiller. Alors, s'il vous plaît, parlez-moi...

— De quoi voulez-vous que je vous parle ?

— De vous.

— Oh, sur moi, il n'y a rien à dire d'intéressant.

— Vous détestez les saignées, comme moi.

— C'est la vue du sang qui me perturbe... À cause de cauchemars qui viennent hanter mes nuits. J'y vois toujours beaucoup de sang, j'entends des hurlements... Cela vient sans doute de ma petite enfance.

— En avez-vous parlé à vos parents ?

— Je ne le puis. J'ignore ce qu'ils sont devenus.

— Et dans votre entourage personne ne peut vous donner de leurs nouvelles ?

— Je suis entrée jeune dans la Maison Royale d'Éducation et personne n'a cru utile de me narrer mon passé. J'avoue que plus je grandis et plus cela me trouble de ne point connaître l'histoire de ma famille.

— Ne vous souvenez-vous de rien ?

---

1. Espace entre le lit et le mur.

— Tout un pan de ma mémoire me fait défaut. Parfois quelques images me reviennent, mais elles s'effacent aussi vite qu'elles apparaissent.

— Pardonnez-moi, je n'aurais pas dû vous imposer ce sujet de conversation. Alors, parlez-moi de Saint-Cyr, puisque mes deux jeunes sœurs viennent d'y entrer.

— Nous y apprenons à bien nous comporter en société, à parler comme il se doit, à coudre, à broder, à tenir une maison. On nous y enseigne aussi la piété, la charité. La prière et le silence y tiennent une grande place. Nous y lisons les Évangiles et la vie des saintes. Il y a peu, nous y jouions aussi du théâtre.

— Du théâtre ? s'étonna-t-elle.

— Oui. J'ai joué un rôle dans *Esther* et je connais par cœur *Athalie* de M. Racine. Appréciez-vous le théâtre ?

— Je l'ignore. Je n'ai jamais assisté à une représentation. Mais il me semble que cela doit être agréable. Contez-moi tout par le menu !

Elle prit un air gourmand et se redressa légèrement contre les carreaux, prête pour un long récit.

Je ne m'étais point attendue à parler de théâtre, mais comme cela me comblait, je m'exécutai.

— Dès que nous atteignons la classe jaune, nous apprenons à mimer les fables, puis nous interprétons des saynètes écrites par des dames de Saint-Louis.

Mais nous jouons également des pièces écrites par de grands dramaturges : *Cinna* de M. Corneille ou *Andromaque* et *Iphigénie* de M. Racine. Mon amie Charlotte a interprété Andromaque alors que je jouais Hermione, un très beau rôle.

— Quel est le thème de cette pièce ?

— L'action se déroule après la prise de Troie par les Grecs. Le Grec Pyrrhus, fils d'Achille, tombe amoureux de la belle Andromaque, veuve du Troyen Hector, qu'il a faite prisonnière. Il est lui-même l'objet de la passion d'Hermione qu'il n'aime pas, alors qu'Oreste aime Hermione d'un amour fou.

— Il ne doit pas être aisé de rendre les sentiments amoureux sur une scène.

— En effet, mais travailler son jeu, ses gestes, sa voix, son regard pour que le public y croie est intéressant et j'y réussissais assez bien.

— Vous goûtez fort le théâtre, il me semble ?

— Oui.

Je n'osais lui révéler que mon rêve aurait été de devenir comédienne puisqu'elle m'avait octroyé le rôle de garde-malade guérisseuse et que les deux étaient peu compatibles.

Il me parut que notre discussion faisait oublier un instant à Marie sa souffrance. Elle ne toussa pas et ne fut pas tentée un seul instant de s'endormir.

Cependant, lorsque Joséphine revint et qu'elle vit sa sœur converser avec moi, elle la gronda :

— Le médecin a conseillé d'économiser ton souffle, et de ne point parler sous peine d'avoir une crise d'étouffement.

— Oh, ne crains rien, Olympe est là, maintenant.

Joséphine me dévisagea, comme si elle s'attendait à ce que je produise un miracle en étendant la main au-dessus du front de sa sœur. Mais comme je ne bougeais point, elle reprit :

— Mariette prépare ton bouillon. Je t'aiderai à le boire.

Je m'aperçus à cet instant que le soleil de cette matinée de printemps était bloqué derrière les tentures qui occultaient les fenêtres. Cette demi-obscurité me pesa. Une vision s'imposa à moi, une odeur aussi... Je me vis enfermée dans un réduit sombre. J'eus soudainement besoin de lumière. Je me levai pour attacher le lourd tissu aux embrasses. Mais alors que je touchais l'étoffe défraîchie, Joséphine s'écria :

— Non ! la lumière n'est pas recommandée à Marie.

Je chancelai, mais je parvins à me raisonner et, petit à petit, l'oppression qui m'avait comprimé la poitrine devint plus supportable. Personne ne parut s'être rendu compte de mon trouble.

Joséphine posa la main sur le front de sa sœur pour s'assurer qu'elle n'avait point de fièvre, tapota le carreau de plumes, lissa la courtepointe, s'assit sur le fauteuil à côté du lit, approcha le chandelier. Saisissant un gros livre relié de cuir qui trônait sur la table de chevet, elle l'ouvrit à la page marquée par un signet de soie rouge et commença d'une voix monocorde :

— Évangile selon saint Luc...

Marie ferma les yeux et parut s'assoupir.

Joséphine termina sa lecture puis, un doigt sur la lèvre, elle m'ordonna de garder le silence. Je demeurai donc debout, face au lit, à regarder dormir la fillette... et la matinée s'écoula dans cette chambre sombre et lugubre. Mes pensées s'envolèrent bientôt pour retrouver mes compagnes de Saint-Cyr. Imaginer le ciel bleu et le soleil dans le parc de notre maison me réconforta. Je n'osais point bouger de peur de réveiller Marie et d'encourir les foudres de sa sœur.

Enfin, on toqua à la porte et la cuisinière entra. C'était une solide paysanne d'un âge assez avancé ; le dos voûté, le visage ridé et tanné, elle faisait traîner ses sabots sur le sol comme si elle n'avait plus assez de force pour soulever les pieds. Elle posa le plateau sur le lit, hésita, avança la main pour me toucher, la retira, puis se signa et sortit de la pièce à reculons.

Il y avait trois bols de terre emplis d'un bouillon fumant et odorant et trois tranches de pain bis.

Joséphine récita le bénédicité.

— Je n'ai pas faim, murmura Marie qui venait de s'éveiller.

— Il faut manger, sinon vous ne survivrez point, lui conseilla Joséphine.

— Oh, la vie me coûte trop d'efforts... Elle n'est supportable que lorsque je dors.

Afin de remplir au mieux le rôle qui m'incombait, je m'approchai donc de Marie et je lui dis :

— Mangez un peu, vous me ferez plaisir.

C'était, somme toute, une phrase assez ridicule, mais je sentais bien que je n'avais aucun pouvoir surnaturel pour exaucer les vœux de Joséphine.

Marie leva sur moi ses yeux cernés et soupira :

— Je ne le puis, je vous assure. Ma gorge est nouée et ne peut rien avaler.

Joséphine poussa à son tour un énorme soupir et lâcha :

— Et c'est comme cela tous les jours depuis le décès de notre mère !

Sa détresse me toucha, mais comment aider Marie à vivre si elle ne le souhaitait pas ?

9

Les jours s'enchaînaient, monotones.

Tous les matins, c'était la messe, la visite du médecin qui ordonnait une saignée ou une purgation afin de chasser les mauvaises humeurs qu'il avait détectées dans le blanc des yeux ou les urines de Marie. Puis Joséphine lisait une page des Évangiles afin d'endormir sa sœur. Vers treize heures, Mariette, la cuisinière, apportait un bouillon que la fillette refusait d'avaler tandis que Joséphine et moi nous mangions le nôtre en silence.

Après dîner, Joséphine s'absentait et je devais veiller Marie tandis qu'elle faisait la sieste. Je m'ennuyais beaucoup. Il n'y avait aucun livre dans la chambre, on ne me proposa pas de travaux d'aiguilles. J'avais les mains et l'esprit vides. Aussi, je m'occupais en priant Dieu et tous les saints de redonner la santé à cette fillette. Mais à aucun moment il ne me sembla que le ciel m'entendît.

Si Marie se réveillait avant le retour de sa sœur, elle me posait quelques questions sur Saint-Cyr et nous passions une demi-heure agréable.

Lorsque Joséphine revenait vers dix-sept heures, elle m'autorisait une promenade dans le jardin. Je savourais cette heure de liberté, d'air et de lumière comme si j'avais été la prisonnière d'une forteresse sans fenêtre. Déambuler sans but précis dans le parc, sentir une rose, cueillir une marguerite, m'asseoir sur un banc de pierre sous une tonnelle de chèvrefeuille me procurait un étrange bonheur... des souvenirs enfouis au fond de ma mémoire s'agitaient pour revenir à la surface. L'image de ma mère souriante traversa plusieurs fois mon esprit, mais de façon trop fugace pour que je retienne ses traits.

Au souper, la cuisinière apportait à Marie un nouveau bouillon. Parfois, elle en mangeait deux ou trois cuillères, parfois elle repoussait le bol.

Chaque matin, lorsque je pénétrais dans la chambre de Marie, j'espérais qu'un miracle aurait eu lieu dans la nuit et que la fillette, souriante, nous dirait :

— Ah, j'ai faim ! Je veux me lever et courir dans le jardin !

Las, rien de tel ne se produisait.

Le soir, Joséphine et moi soupions dans un petit salon du premier étage, face à face. C'était une épreuve. Joséphine était muette mais soupirait abondamment. Je n'osais rompre le silence, troublé seulement par le léger frottement de nos cuillères dans les assiettes.

En sept jours, M. d'Aubeterre ne partagea qu'une fois notre souper. La conversation fut tout aussi brève.

— Comment vont vos affaires ? le questionna Joséphine.

— Mal, répondit-il.

À aucun moment, il ne me demanda si je m'habituais à ma nouvelle existence ni si la santé de Marie se méliorait[1] grâce à moi. Son attitude me décevait. J'avais cru comprendre dans la calèche qui m'avait conduite jusqu'ici que M. d'Aubeterre s'emploierait à parfaire mes connaissances en histoire, géographie et botanique. Il n'en fit rien.

Un après-dîner alors qu'une petite pluie fine empêchait ma promenade habituelle, je décidai d'explorer le château. Ce n'était pas un manque de discrétion, je voulais seulement trouver la bibliothèque pour y emprunter un livre ou deux afin de passer plus agréablement les heures au chevet de Marie.

---

1. Ancienne forme pour s'améliorer.

Je traversai plusieurs pièces vides. Sur le plancher et sur les murs on voyait l'empreinte des tapis, des tentures et des tableaux que l'on avait retirés. À n'en point douter, M. d'Aubeterre avait des soucis d'argent qui l'avaient contraint à vendre ses biens.

J'atteignis bientôt une pièce octogonale, sans doute étais-je dans la tour que j'avais aperçue lors de mon arrivée une semaine plus tôt. Des rayonnages de bois sombre couvraient les murs, mais il n'y avait plus aucun volume sur les étagères hautes et, sur les autres, les livres s'empilaient, se chevauchaient dans un désordre inhabituel pour ce genre d'endroit. Là encore, il me parut que les plus beaux ouvrages avaient disparu. Il ne restait vraisemblablement que les livres dédaignés par l'acheteur. J'en soulevai quelques-uns, à la recherche d'un texte pouvant m'intéresser. Je découvris un recueil de fables de M. de La Fontaine assez défraîchi, les contes de Mme d'Aulnoy, des pièces de M. Corneille et de M. Racine, et aussi quelques romans dont les titres m'étaient connus bien que je ne les aie jamais lus. Les romans ayant pour thème la passion humaine étaient interdits à Saint-Cyr. J'emportai mon précieux butin et courus le cacher sous ma paillasse. J'aurais certainement baissé dans l'estime de la sévère Joséphine si elle m'avait surprise en train de lire ce genre d'ouvrage.

Quelques jours plus tard, la fillette peina à s'endormir, se tournant sur sa couche en gémissant.

— Vous souffrez ? m'inquiétai-je, prête à appeler Joséphine à la rescousse.

— Oui... enfin non... je ne sais... je ne supporte plus d'être dans ce lit et je...

Elle s'arrêta comme épuisée par l'effort occasionné par la prononciation de cette phrase.

— Voulez-vous que je lise un peu pour vous endormir ?

— Les Évangiles ?

Je compris qu'elle était lasse d'ouïr toujours les mêmes textes et je proposai :

— Que diriez-vous des fables de M. de La Fontaine ?

Un peu de rose lui revint aux joues.

— Ma mère m'en lisait souvent autrefois, murmura-t-elle.

En deux pas je fus dans ma chambre, pris le livre dans sa cachette puis, m'installant dans le fauteuil, je m'appliquai à choisir une fable amusante. J'avais rallumé le chandelier que Joséphine avait soufflé en partant, car, bien sûr, les tentures occultaient toujours les fenêtres.

Je commençai par *La Cigale et la Fourmi*. Je connaissais ce texte par cœur pour l'avoir interprété avec Charlotte à Saint-Cyr. Aussi, comme mon but était de distraire ma petite malade, je me levais pour contrefaire la Cigale suppliant la Fourmi, puis je changeais de voix pour être l'inflexible Fourmi. Un souris détendit le visage de Marie.

— Une autre ! exigea-t-elle.

Je lui jouai *Le Corbeau et le Renard* en accentuant le comique de la situation. Elle éclata franchement de rire. Ce rire détonnait dans cette chambre sinistre, et, en même temps, il me parut être le signe que Marie pouvait vivre. J'en fus si émue que je demeurai un instant figée sur le fauteuil, le livre ouvert sur mes genoux.

— Ce que vous êtes drôle ! m'assura Marie.

— Ce n'est point moi qui le suis, mais les fables de M. de La Fontaine.

— Peut-être, mais lorsque ma mère me les lisait, je ne riais point. Sa voix était pourtant si douce que...

Des larmes perlèrent à ses paupières. Vite, j'enchaînai :

— Je vais vous lire *Le Gland et la Citrouille*.

À la fin de la fable, elle applaudit.

Je lui interprétai ainsi une dizaine de fables, évitant celles dont le thème était la mort ou la misère. J'avoue que j'y prenais moi aussi un grand plaisir, ce plaisir dont on nous avait privées à Saint-Cyr peu avant mon départ. Marie était métamorphosée. Certes, elle avait toujours les joues creuses, les yeux cernés, les mains décharnées, mais son regard était vivant.

Nous ne vîmes pas le temps passer.

Lorsque Joséphine, croyant sa sœur endormie, entra sur la pointe des pieds, elle me surprit debout sur le fauteuil en train d'interpréter le Corbeau, tandis que Marie imitait la voix fourbe du Renard. J'avais entrouvert les rideaux, car nos chandelles s'étaient consumées et Marie, qui ne connaissait pas les fables par cœur, ne parvenait plus à les lire.

— Qu'est-ce que... que se passe-t-il ?... bredouilla Joséphine.

En deux enjambées, elle se précipita pour fermer les tentures. Je sautai de mon perchoir et, consciente d'avoir enfreint les règles que l'on m'avait imposées, je baissai la tête. Marie cacha précipitamment le livre sous son drap.

À ce moment-là, une quinte de toux secoua la fillette. Aussitôt, Joséphine s'empressa et, comme à l'habitude, elle bassina le front de sa sœur d'un linge humide en lui recommandant :

— Là, là, calme-toi, respire doucement...

Lorsque l'alerte fut terminée, elle m'apostropha :

— Marie ne supporte pas la lumière, vous le saviez ! Quant à votre attitude... elle est... inqualifiable ! Je m'étonne qu'une demoiselle élevée dans la Maison Royale d'Éducation puisse faire preuve d'un tel relâchement !

— Olympe n'est point fautive, c'est moi qui...

— Vous n'êtes point responsable, coupa Joséphine. Votre maladie et votre jeunesse ne vous permettent pas de juger ce qui est bon ou mauvais.

Incontinent[1], je vis Marie se recroqueviller et la joie disparaître de ses yeux.

— Laissez-nous, à présent, me tança Joséphine.

Je quittai le lieu à regret, persuadée que je n'avais point mal agi, mais qu'au contraire ces quelques instants de divertissement avaient été profitables à la jeune malade.

1. Aussitôt.

CHAPITRE
10

Le souper se déroula dans un silence encore plus pesant qu'habituellement. M. d'Aubeterre participa, mais il ne desserra pas les dents. Joséphine l'avait-elle informé de l'incident ? M'ignorait-il pour me signifier sa désapprobation ? Ou était-il, comme les jours précédents, indifférent à tout ce qui l'entourait ?

M. d'Aubeterre m'avait fait une excellente impression tout le long du voyage ; à présent, je ne comprenais plus son attitude. J'avais constaté que, à part la messe du matin et la visite du médecin, il ne venait jamais voir sa fille. M'aurait-il abusée sur son amour paternel ? Pourtant, sans son intervention, je serais encore à Saint-Cyr. Il y avait là un mystère qui m'intriguait.

J'avais hâte de quitter cette table. L'atmosphère était si lourde que j'en perdais l'appétit. Il était d'ailleurs heureux que je n'en eusse point trop parce que les mets que la cuisinière déposait au centre de la table étaient peu copieux : les ragoûts et les potages n'étaient guère consistants et aucun rôt[1] ne nous avait encore été servi. Et pour les sucreries, nous n'avions droit qu'à une cuillère d'une confiture dont j'aurais été incapable de définir le goût.

Pour regagner ma chambre, je traversai celle de Marie sur la pointe des pieds, une chandelle à la main. Elle ne dormait point encore et murmura, comme si elle me confiait un secret d'importance :

— J'ai mangé trois cuillerées de potage.

— Je vous félicite.

— Ce soir, je me suis sentie mieux, grâce à vous.

— J'en suis très heureuse.

— J'ai ri pour la première fois depuis... depuis la mort de ma chère maman.

Émue par cet aveu, je m'approchai de son lit.

— Pourtant, reprit-elle, j'ai honte... Je ne veux pas l'oublier et rire m'est défendu.

— Qui vous a conté pareille sornette ?

— Tout le monde. M. le curé m'exhorte à prier et encore prier pour le repos de son âme, mon père, enfermé dans son chagrin, ne m'adresse plus un

1. Viandes rôties.

souris et ma sœur, pour me protéger, m'empêche de voir le soleil. Personne ne m'a conseillé de rire.

Bien qu'enfantine, l'analyse qu'elle faisait de sa situation était proche de la réalité. Son entourage ne faisait rien pour lui permettre de surmonter sa peine ; au contraire, il se complaisait à la ressasser. C'était fort maladroit. Je comprenais, moi, que cette enfant souffrait plus de n'avoir point réussi à faire le deuil de sa chère maman que d'une véritable maladie.

— Moi, je vous le conseille.

— Vous ? Mais...

— Puisque la voix vous a soufflé mon nom, c'est qu'elle avait confiance en moi, n'est-ce pas ?

— Certes.

— Alors, vous devez avoir vous aussi confiance en moi. Et je vous le dis, rire ne signifie point que l'on oublie un être cher, mais plutôt que l'on ne renonce pas à la vie.

— Vous croyez ?

— Absolument. Votre chère maman serait désespérée de vous voir dans cet état. Je suis bien certaine qu'elle vous préfère en train de rire, de manger, de chanter même. Parce qu'elle sait bien, elle, que vous ne l'oublierez jamais !

Qui me dicta ces paroles ? Je l'ignore. Elles me vinrent naturellement sans que j'y réfléchisse, mais l'effet qu'elles produisirent sur Marie fut magique.

Elle me sourit, me saisit la main et la serra avec une force dont je ne l'aurais point crue capable.

À partir de ce jour, la santé de Marie commença à se méliorer. Et je ne suis pas peu fière d'affirmer que c'est à cause de moi. Oh, ce fut insensible au début et seules Marie et moi en étions les témoins, car dès que Joséphine entrait dans sa chambre, la fillette reprenait une attitude triste et compassée.

Dans la matinée, rien de changé. Le rituel était immuable : messe, médecin, Évangiles, bouillon, sieste... Mais dès que Joséphine s'absentait et que je restais seule avec Marie, elle me disait d'un ton gourmand :

— J'aimerais jouer avec vous *La Cigale et la Fourmi* ou *Le Loup et l'Agneau.*

— Votre sœur sera fâchée, plaidais-je sans conviction.

— Elle n'en saura rien. Ce sera un secret entre vous et moi.

Cette complicité me plut. Il me parut que Marie accomplissait un premier pas vers la guérison en envisageant de désobéir à des ordres trop sévères.

À la fin de chaque fable, elle applaudissait en m'assurant :

— Que vous jouez bien !

Je l'applaudissais à mon tour en lui disant :

— Vous avez du talent pour le théâtre et bientôt vous jouerez mieux que moi.

Ce n'était pas simple flatterie. Pour une enfant si jeune, je lui trouvais une excellente mémoire, et tout en étant alitée, elle parvenait à placer sa voix fort correctement. Ses joues rosissaient sous le compliment et ses yeux brillaient.

Un jour, elle m'avoua :

— Interpréter tous ces personnages est fort distrayant. Et puis, pendant que je suis le loup... je ne suis plus vraiment moi. C'est une sensation tout à fait étrange.

— C'est en effet tout le bonheur du théâtre. Durant quelques instants le comédien perd sa propre identité pour se glisser dans la peau d'un personnage et vivre ses aventures. C'est un peu comme si nous avions plusieurs vies.

— Oh, vous avez dit « nous » !

Je rougis. Sans le vouloir, je lui avais dévoilé mon rêve le plus secret. Je poursuivis :

— C'est que j'ai beaucoup aimé jouer dans *Esther* et qu'être comédienne aurait été mon rêve.

— Pourquoi parlez-vous au passé ?

— Eh bien, parce que, maintenant je suis... je suis à votre service... et que je... je dois...

Je me troublai, ne sachant exactement comment expliquer ce que l'on attendait de moi sans utiliser le mot « miracle » qui me paraissait inapproprié.

Les pas de Joséphine dans la pièce d'à côté interrompirent notre conversation. Marie cacha le livre sous ses couvertures, m'adressa un signe de connivence, puis ferma les yeux. Je m'assis dans le fauteuil, et lorsque la porte s'ouvrit, nous étions toutes les deux aussi sages que des images pieuses.

— Elle dort ? s'informa Joséphine.

J'opinai de la tête.

À cet instant, Marie ouvrit les yeux, les frotta, s'étira et lança :

— J'ai faim !

— Merci, Seigneur ! s'exclama Joséphine en se signant. Je cours chercher ton bouillon.

Dès que sa sœur eut disparu, Marie me dit :

— La boule que j'avais dans la gorge et qui m'empêchait de manger diminue de volume depuis quelques jours et cela me donne faim.

— À la bonne heure ! Je vais marcher un peu dans le jardin, et j'emporterai une pièce de théâtre pour l'apprendre. J'en ai déniché dans la bibliothèque de votre père. Entre autres, *Le Cid* de M. Corneille. Mlle du Pérou, notre maîtresse, nous en avait touché deux mots sans nous la lire. Elle prétendait que les sentiments explorés par le dramaturge étaient contraires à la morale et à la religion. J'ai très envie de voir par moi-même ce qu'il en est.

11

Marie et moi attendions l'après-dîner avec impatience.

Pendant la messe, la visite du médecin, la lecture de l'Évangile, elle m'adressait des signes discrets, des souris qui créaient entre nous une délicieuse complicité. Les autres étaient aveuglés par l'importance de leur mission auprès de la malade.

Marie avalait à présent son bouillon sans difficulté et un peu de force lui était revenu.

Le médecin avait décrété que, grâce aux saignées, les humeurs mauvaises tendaient à s'atténuer. Il n'utilisa donc sa lancette qu'une fois par semaine au lieu de trois. La diminution de son supplice soulagea grandement Marie. Car voir son sang couler de son bras l'effrayait et je gage que cela contribuait fort à ses angoisses.

M. d'Aubeterre me dit un soir au souper :

— Votre présence auprès de ma fille fait merveille. Elle ne s'était point trompée.

— Croyez bien que cela me ravit, monsieur.

Nous n'avions pas échangé trois mots depuis mon arrivée.

Joséphine ne se mêla pas à cette courte conversation. En tout cas, elle ne m'imputait point la mélioration de la santé de sa sœur. Elle continuait à la couver comme une mère poule, exigeant que les rideaux soient clos, qu'elle dorme après le passage du médecin, qu'elle fasse la sieste après le repas et qu'elle ne bouge point de son lit.

J'avais lu *Le Cid* d'une traite. Cette histoire d'amour contrarié entre Chimène et Rodrigue m'avait bouleversée. Ainsi, un homme pouvait renoncer au bonheur pour l'honneur de sa famille ? Je comprenais pourquoi nous n'avions point appris cette pièce à Saint-Cyr : trop de passion amoureuse et une fin contraire à la morale. Mais que c'était beau !

À ce moment-là, j'étais bien loin de me douter que j'aurais à affronter les mêmes terribles épreuves que Chimène !

Dès le lendemain, je mis tout mon talent à bien lire la pièce à Marie, tant j'étais désireuse de lui faire partager mon admiration pour ce texte. Je fus récompensée quand je la vis frémir durant la tirade de Rodrigue, puis essuyer une larme lors de celle de Chimène. Lorsque je m'arrêtai, je m'enquis pour la forme :

— Cela vous plaît-il ?

— Oh, oui ! Je ne savais pas que cela existait !

Je n'eus pas l'audace de lui demander si elle parlait de l'amour décrit dans la pièce ou de la tragédie elle-même. Je penchais pour la première supposition.

— Voulez-vous que nous la jouions ?

— Je ne saurais pas.

— Je ne crois pas, en effet, que nous réussissions à retenir la pièce en entier et interpréter tous les personnages sera difficile. Choisissons les scènes que nous préférons, puis nous les étudierons et nous les jouerons comme si nous étions devant un public nombreux.

Marie fut enthousiaste. Nous mîmes longtemps à tomber d'accord sur le choix des scènes. Marie n'arrivait pas à décider si elle souhaitait jouer le rôle de Chimène ou celui de Rodrigue, le rôle de don Diègue ou de don Gormas. Elle avait une soif d'apprendre qui m'étonnait. On eût dit qu'elle avait dormi mille ans et qu'elle se réveillait enfin, heureuse de redécouvrir la vie. Quant à moi, j'étais contente d'être l'artisan de ce réveil. Elle choisit le rôle de Chimène en me précisant qu'elle s'essaierait aussi à interpréter celui de Rodrigue :

— Entrer dans la peau d'un gentilhomme de cette trempe doit être passionnant.

Elle avait légèrement rougi en me faisant cet aveu. C'était normal car il était impudique qu'une demoiselle de qualité souhaite se travestir en homme, même si ce n'était que par la pensée. Je crus utile de la rassurer :

— Ce n'est qu'un exercice de lecture, pas même du théâtre puisque vous ne bougerez point de votre lit et que nous n'aurons aucun public.

— Oui, souffla-t-elle avant d'ajouter tout bas : Il n'en est pas moins vrai que c'est très excitant.

Ainsi tous les après-dîners nous passions deux heures merveilleuses.

Le soir, après avoir regagné ma chambrette, je recopiais à la lueur d'une chandelle les scènes que nous avions choisies, puis je les remettais à Marie. Elle les apprenait le matin, en cachette. Lorsque nous nous retrouvions seules, nous les lisions, nous les commentions et je prenais grand plaisir à lui expliquer les situations vécues par les protagonistes afin qu'elle adoptât le ton adéquat. Mais, alors qu'elle se laissait emporter par le lyrisme de la situation et haussait le ton pour exprimer la colère, elle s'alarmait :

— Silence ! nous allons attirer Joséphine !

Toutes deux nous savions, nous sentions, que la sage et sévère Joséphine ne partagerait pas notre amour du théâtre et qu'elle risquait de nous en interdire la pratique.

Un après-dîner, je me plaçai derrière la tenture occultant la fenêtre afin que don Gormas fît une entrée plus majestueuse. Le soleil m'éblouit et j'appréciai brièvement sa douce chaleur à travers la vitre. Dehors, les arbres du parc se balançaient doucement. Vivre dans le noir à la lueur vacillante des chandelles me fut brusquement insupportable. Sans plus réfléchir, lorsque je sortis de ma cachette en déclamant des vers, je tirai d'un coup sec les rideaux et la lumière inonda la pièce.

Surprise, Marie cligna des yeux, mais ne voulant point se laisser distraire, elle enchaîna d'une voix plus forte qu'à l'accoutumée.

Cette scène fut, incontestablement, une réussite. Je regrettai seulement qu'il n'y eût point de spectateurs pour manifester leur contentement. Mais Marie m'applaudit et je l'applaudis à mon tour. Ensuite, je m'inquiétai :

— La lumière ne vous incommode-t-elle pas ?

Elle avait peine à garder les yeux ouverts et hésita à me répondre.

— À dire vrai, elle me gêne et, en même temps, elle me fait du bien.

— La nature est si belle en cette saison. Et de votre fenêtre, on voit les toits d'un village, des collines bleutées et une rivière qui serpente. Des paysans sont dans les champs, des barques remontent le courant. En approchant un fauteuil, vous pourriez profiter de ce paysage et vous distraire.

— Le médecin a ordonné que je sois dans le noir afin d'économiser mes forces.

— Cela vous réussit-il ?

— Je ne sais. Je n'utilise aucune force puisque je ne fais rien... mais... je m'ennuie à... à périr. Sauf depuis que nous faisons du théâtre.

— Alors, essayons une autre méthode. Nous allons laisser entrer le soleil dans votre chambre. Si vos forces diminuent, nous fermerons vite les rideaux, mais si elles reviennent...

Un souris d'espoir se dessina sur les lèvres de Marie et me dispensa de terminer ma phrase. Je gage qu'elle était persuadée que j'avais raison.

D'ailleurs, ce jour-là, sa voix avait plus d'entrain, son ton était plus mordant et, entre deux scènes, son regard s'évadait vers le bleu du ciel.

Dès que nous entendîmes le pas de Joséphine, Marie fit semblant d'être assoupie et je m'assis dans la ruelle de son lit.

— Les rideaux ! me souffla tout à coup Marie.

Le soleil arrivait jusqu'au pied du lit. Je me levai d'un bond pour réparer notre oubli. Trop tard. Joséphine entra et s'arrêta net sur le seuil :

— Seigneur ! s'exclama-t-elle, voulez-vous donc la tuer ?

Puis, la surprise passée, elle se précipita pour fermer les rideaux.

— Non, laisse-les ouverts, protesta sa sœur, la lumière me réconforte !

— Le médecin a ordonné que...

— Et moi, je dis que le soleil me fait du bien.

— Ce n'est pas toi qui le dis, ma chère enfant, c'est cette demoiselle qui prétend être le Messie et qui veut te soustraire à ma tendresse !

— Que me contes-tu là ? s'étonna Marie.

— J'ai immédiatement saisi son manège. Elle veut usurper la place de notre mère dans ton cœur, une place qui est la mienne ! Parce que depuis le décès de notre chère maman, c'est moi qui m'occupe de toi nuit et jour. Tu n'as que moi et je n'ai que toi !

Soudain, je compris. Joséphine craignait qu'en s'attachant à moi, Marie ne se détachât d'elle. Or Joséphine, célibataire, sans enfant, traitait sa sœur comme sa propre fille. La maladie de Marie lui donnait l'occasion d'exprimer toute sa tendresse et de se rendre indispensable. Je crus utile d'expliquer :

— Ne craignez rien, demoiselle, mon seul but est de distraire Marie et de lui faire oublier un peu sa souffrance.

— C'est bien cela, vous voulez qu'elle oublie notre mère !

— Non point. Seulement qu'elle vive comme une enfant de son âge. Se promener dans le parc, lire, chanter, jouer ne lui fera jamais oublier sa chère maman, mais cela lui permettra de se tourner vers l'avenir. Car je crains fort que toute cette tristesse entretenue autour d'elle ne la conduise à son tour vers le tombeau. Est-ce ce que vous souhaitez pour votre sœur ?

— Vous déformez mes propos ! se buta Joséphine.

— Vous refusez d'entendre la vérité !

— Je vous ferai chasser par mon père !

— C'est lui qui est venu me supplier de venir chez vous ! Je n'avais rien demandé, moi ! m'emportai-je.

— Arrêtez ! Arrêtez toutes les deux ! s'écria soudain Marie.

Elle était pâle. Ses mains tremblaient sur la couverture. Elle hoquetait pour retenir ses larmes. Son souffle se fit haletant. Elle cherchait l'air.

— Fermez les rideaux, me commanda Joséphine, et allez quérir une cruche d'eau fraîche !

Le visage anxieux, Joséphine se pencha sur sa sœur tandis que je courais à la cuisine.

Lorsque je revins, Marie me parut endormie. Joséphine priait à son chevet.

— Sortez, vous avez fait assez de mal ! me lança-t-elle.

CHAPITRE

12

Après cette altercation, Marie retrouva son apathie. Elle perdit le peu d'appétit qu'elle avait, dormait constamment et était à nouveau sujette à des accès d'étouffement spectaculaires. Le médecin saigna, prescrivit le noir complet et promit des vomitifs si les humeurs de la malade étaient toujours aussi acides.

J'étais désespérée.

J'avais bien vu, moi, que Marie allait mieux si on la distrayait, et le théâtre était un excellent moyen de distraction. Quant à la lumière, je percevais intuitivement qu'elle serait bonne pour la fillette, parce que moi-même, je n'aurais pu m'en passer sans sombrer dans la folie.

Je m'attendais, d'un moment à l'autre, à être renvoyée par M. d'Aubeterre. N'ayant point accompli de miracle, et ayant déplu à Joséphine, je n'avais plus aucune raison de rester dans leur demeure.

J'étais partagée entre plusieurs sentiments : je me réjouissais d'obtenir ainsi la liberté qui me permettrait d'entrer dans une troupe de théâtre, et j'étais triste aussi de quitter Marie dans cet état. En peu de jours, je m'étais attachée à elle et réussir à lui redonner goût à l'existence m'aurait comblée. J'espérais que M. d'Aubeterre ne me reconduirait pas à Saint-Cyr, je craignais de ne plus pouvoir me réadapter à la règle si stricte que l'on nous imposait.

Cette dernière pensée finit par m'obséder. À mon tour, je perdis le sommeil et l'appétit. Je restais la plupart du temps allongée sur ma couche dans ma chambre sans fenêtre à ressasser mes malheurs. Mes cauchemars qui, tandis que je m'occupais de Marie, avaient disparu revinrent me hanter.

Je surveillais encore Marie durant l'heure que Joséphine ne passait point à son chevet. Mais Joséphine revenait souvent s'assurer que je respectais ses consignes. Marie dormait ou feignait de dormir. Il arrivait aussi que, gagnée par l'ennui, je m'assoupisse à mon tour.

Un soir, lors du souper, Joséphine dit à son père :

— Je crois que la présence de Mlle de Bragard est inutile.

Je demeurai la cuillère en l'air, tant j'étais étonnée qu'elle parlât de mon renvoi en ma présence.

— Ah ? murmura M. d'Aubeterre en levant les yeux sur moi.

— Oui. Elle n'a pas guéri Marie comme nous l'espérions. Au contraire son état empire depuis quelques jours.

— Ah ? redit M. d'Aubeterre.

Joséphine, agacée par l'attitude de son père, insista :

— Père, vous vous détournez de Marie comme vous vous êtes détourné de notre mère...

Cette fois, M. d'Aubeterre se leva d'un bond et, renversant sa chaise, il s'exclama :

— Il suffit ! Mlle de Bragard est la bienvenue dans ma maison. Il n'y a pas à revenir là-dessus !

— Parce qu'elle est jeune et belle ? lança Joséphine rouge de colère tandis que son père quittait la pièce.

Joséphine m'ignora et sortit elle aussi de la pièce. Tout se déroula si vite que je demeurai abasourdie quelques longues minutes, sans pouvoir me lever de ma chaise.

Joséphine était-elle jalouse de moi ? Pensait-elle que son père envisageait de me courtiser ? J'avais pourtant cru comprendre lors de sa venue à Saint-Cyr qu'il était un veuf inconsolable. Aurait-il trompé les dames de Saint-Louis ?

Je passai une nuit affreuse à ressasser ce que j'avais entendu au repas, puis à penser à ma situation dans cette maison et aussi à Marie que j'avais prise en affection. J'aurais pu accéder aux désirs de Joséphine et partir sur-le-champ. Mais ç'aurait été reconnaître que Joséphine avait raison. Or, elle avait tort. Tort sur tous les points.

Au matin, j'avais décidé de me battre.

J'utilisai la seule arme en ma possession : le théâtre.

La bibliothèque de la maison contenant encore les œuvres de Racine, Corncille et Molière, j'avais occupé mes heures de solitude en les lisant toutes. Je dois avouer que l'idée de partir sans avoir eu le temps de savourer tous ces chefs-d'œuvre m'avait fort ennuyée. J'étais totalement éblouie au fur et à mesure que je découvrais *Cinna, Horace, Polyeucte, Britannicus, Bérénice, Phèdre, L'École des femmes, L'Avare, Le Bourgeois gentilhomme* et bien d'autres encore. Je plaignais les héroïnes, je vibrais du même amour qu'elles, je tempêtais lorsqu'elles étaient trahies, je m'inclinais devant leur courage et leur grandeur d'âme, je saluais leur abnégation. Et lorsque j'en avais assez de souffrir avec Corneille et Racine, je lisais Molière afin de rire des bons tours que les demoiselles jouaient à leur père ou à leur vieux mari et des farces des valets. Je me moquais avec lui des précieuses, des médecins, des bourgeois.

Chaque fois, je lisais et relisais la pièce pour m'imprégner de la situation. Je choisissais ensuite de jouer un personnage, puis un autre. J'entendais les applaudissements du public et les commentaires flatteurs des gens de qualité assis dans des fauteuils sur la scène même.

Un après-dîner, j'avais caché sous ma jupe et emporté dans la chambre de Marie *Les Fourberies de Scapin* dont la lecture m'avait beaucoup divertie.

Dès que Joséphine s'éloigna, je sortis le livre et commençai à lire les passages les plus drôles comme si je m'en faisais la lecture à moi seule, c'est-à-dire d'une voix sourde, à peine audible. Je n'oubliais cependant point de rire à bon escient. Marie feignait de dormir, mais lorsque le passage était comique, un souris naissait sur ses lèvres. Je fis mine de ne m'apercevoir de rien et je poursuivis ma lecture à mi-voix. Au bout de vingt minutes de ce manège, elle ouvrit franchement les yeux et me dit :

— Lisez plus fort, s'il vous plaît.

Je ne me fis pas prier. Et le résultat que j'escomptais arriva sans tarder. Elle éclata de rire plusieurs fois en m'assurant :

— Vrai, ce que c'est amusant !

— Ce le serait encore plus si nous jouions cette pièce toutes les deux, car interpréter tous les personnages ne me permet pas de leur donner le caractère qui leur est propre.

— Je ne le puis, soupira Marie, ce serait déplaire à Joséphine qui me soigne avec dévouement.

— Je comprends.

— D'un autre côté, c'est grâce à vous, l'amie désignée par le ciel, que j'ai repris goût à la vie.

— Certes.

Le cas de conscience auquel était confrontée Marie était bien difficile à résoudre et je ne voulais pas, par des réponses trop orientées, l'obliger à choisir mon parti. Elle devait décider seule.

Elle se mordait les lèvres et se tordait les mains tant sa réflexion était profonde, je crois qu'elle pria aussi. Après plusieurs longues minutes de silence, elle me dit :

— Le théâtre ne peut pas être mauvais pour moi, n'est-ce pas, puisqu'il m'a rendu de l'appétit et des forces.

— Je le pense aussi.

— Et Joséphine qui m'aime souhaite que je guérisse, alors elle ne peut pas m'interdire le théâtre.

Cette déduction était imparable de logique, et avant même que j'aie acquiescé, Marie me proposa d'un air gourmand :

— Alors, apprenons vite cette pièce !

Heureusement pour nous, Joséphine s'était rapidement lassée de nous surveiller. Chaque fois qu'elle avait pénétré dans la chambre, nous somnolions toutes les deux. Nous reprîmes donc, avec un plaisir non dissimulé, nos répétitions. Et ce n'était plus uniquement la passion des héros, leur courage, leur abnégation qui nous transportaient, mais nous riions des farces, des situations cocasses, du langage familier. À la deuxième lecture, Marie me dit :

— Oh, je ris tant que j'en ai mal au ventre ! Pensez-vous que cela puisse nuire à ma santé ?

— Au contraire, il me semble que le rire est une bonne médecine.

— Ah, Olympe, je suis si bien avec vous !

— Et moi, je suis si heureuse de vous apporter un peu de joie.

— Pouvez-vous ouvrir les rideaux ?

Je la regardai avec étonnement, car cette demande allait à l'encontre des recommandations de sa sœur, aussi ajouta-t-elle :

— La lumière me rend gaie, alors qu'être dans le noir, à la lueur des chandelles, augmente ma tristesse.

Nous poursuivîmes avec bonheur l'étude des *Fourberies de Scapin*.

Cependant, un peu avant que la pendule de bronze trônant sur le rebord de la cheminée ne sonnât cinq heures de relevée[1], nous fermions les rideaux et reprenions notre attitude somnolente. Marie étouffait parfois un dernier rire sous les cou-

---

1. Cinq heures de l'après-midi.

vertures et, de mon côté, je gardais mon sérieux avec difficulté.

Combien de temps allions-nous pouvoir ainsi tromper Joséphine ?

CHAPITRE

13

Nous travaillions à apprendre et à jouer des scènes des *Fourberies de Scapin* depuis plus de deux semaines. Notre plaisir allait grandissant et la santé de Marie se méliorait de jour en jour. Elle avait repris de l'appétit, le médecin avait cette fois admis que les saignées n'étaient plus nécessaires et qu'une purgation par semaine finirait d'éliminer les mauvaises humeurs de ses entrailles.

Et je fus le témoin d'un événement d'importance !

Nous avions lu plusieurs fois la scène de l'acte III dans laquelle Scapin se venge de Géronte, le cachant dans un sac sous le prétexte de le dérober à la vue des spadassins, puis le rouant de coups. Je jouais Géronte et Marie était Scapin.

— Ne trouvez-vous pas que nous jouons faux ? remarqua tout à coup Marie.

— Peut-être avons-nous plus de mal à nous mettre dans la situation ?

— C'est que M. Molière n'a point écrit cette scène pour quelqu'un qui est dans son lit.

Elle ôta prestement ses couvertures, s'assit sur le rebord de sa couche et posa les pieds à terre. Je m'approchai pour la soutenir. Elle me repoussa gentiment.

— Ne craignez rien. Je me lève toutes les nuits pour faire quelques pas. Au début, mes jambes étaient molles, mais au fur et à mesure, elles ont acquis de la force.

— Et vous ne m'avez rien dit ?

— Je voulais vous en faire la surprise.

— Votre père et votre sœur seront si heureux de vous voir marcher !

Un voile de tristesse passa dans son regard.

— Je ne sais, souffla-t-elle.

Sa phrase me désola. J'étais certaine que son père et sa sœur l'aimaient sincèrement, mais chacun à leur manière. En réalité, ils avaient enfermé Marie dans une fragilité qu'elle ne demandait qu'à surmonter. Ne voulant pas laisser l'amertume s'installer, je proposai joyeusement :

— Eh bien, montrez-nous, demoiselle, ce dont vous êtes capable !

Elle me jeta le drap qu'elle avait ôté de son lit et me dit :

— Voilà qui fera le sac où Géronte est enfermé !

Je me roulai dans l'étoffe et m'allongeai sur le sol. Elle fit semblant de me frapper en débitant son texte avec un aplomb qui m'étonna. J'avais du mal à garder mon sérieux et, malgré moi, je pouffais de rire à chacune de ses répliques. Elle se fâcha :

— Non, non, Olympe, vous ne devez point rire. La situation est plutôt dramatique pour Géronte.

— C'est que vous jouez si parfaitement le gredin et je suis si piteuse dans ce sac...

— Je vous remercie pour le compliment, mais il me semble que les acteurs doivent garder leur sérieux et que c'est le public qui doit rire.

— Vous avez raison, mais comme nous n'avons point de public...

— Cela me navre. J'aimerais tant jouer pour de vrai. Entendre rire les gens, ce doit être une bien agréable sensation.

— Préparons quelques scènes, nous les interpréterons devant votre père, Joséphine, la cuisinière et le cocher.

— Je ne pense pas que ce soit une bonne idée.

À nouveau, un voile de tristesse assombrit son visage. Alors, j'enchaînai vitement :

— Eh bien, jouons pour nous divertir, nous ! Reprenons la scène 7 de l'acte II. Maintenant que vous voilà debout, elle sera plus agréable à jouer.

— Oh, oui, cette scène est si drôle !

Las, nous étions si prises dans l'action que nous n'entendîmes même pas tinter les cinq coups de la pendule.

Scapin venait de me lancer en pleine face avec fougue, sans trébucher :

Eh ! Monsieur, songez-vous à ce que vous dites ? et vous figurez-vous que ce Turc ait si peu de sens, que d'aller recevoir un misérable comme moi à la place de votre fils ?

Je clamais à mon tour pour la troisième fois :
Que diable allait-il faire dans cette galère ?

... lorsque la porte s'ouvrit sur Joséphine.

Marie et moi fûmes instantanément changées en statues de sel, immobiles et muettes. Je fis un pas vers l'intruse, prête à endosser la faute.

Contre toute attente, celle-ci s'exclama :

— Mais, tu marches !

— Euh... oui.

Joséphine s'approcha de sa sœur, lui tâta les jambes, les bras comme pour s'assurer qu'il n'y avait aucune supercherie, tout en répétant : « Tu marches ! tu marches ! » Elle l'enlaça et ajouta, les larmes aux yeux :

— Merci Seigneur ! Vous avez enfin accompli le miracle que nous attendions ! J'ai si fort prié pour cela !

Marie se laissa cajoler, mais elle m'adressa un signe de connivence comme pour me dire : « Nous savons toutes les deux quel genre de miracle s'est accompli. »

Après cet instant de bonheur intense, Joséphine se releva et essuya d'un fin mouchoir de batiste ses paupières.

Elle paraissait ne pas s'être aperçue que nous interprétions une pièce. Elle n'eut pas l'air non plus de me voir.

— Habille-toi vite. Léon, le cocher, nous conduira à l'église afin de remercier Dieu de ses bontés.

— C'est que je suis fatiguée et...

— Comment ? s'emporta soudain Joséphine. Tu es debout pour réciter des textes que la morale réprouve et tu refuses d'aller rendre grâces à celui qui t'a sauvée ?

— C'est le théâtre qui m'a sauvée, murmura Marie.

— De tels propos dans la bouche d'une enfant si pure... c'est blasphématoire !

Elle me foudroya du regard et m'invectiva :

— Savez-vous que la tragédie est dangereuse ! Elle encourage le péché, car elle excite les passions et présente les faiblesses de l'amour sous un jour favorable !

— Nous nous divertissions simplement avec quelques scènes d'une comédie, lui répondis-je.

— La comédie est tout aussi nuisible parce qu'elle ridiculise les vertus et fait l'éloge des vices ! Et c'est le contraire que je souhaite inculquer à ma sœur.

— Certes, je vous comprends. Aussi, n'y voyez point malice, nous nous amusions à jouer des personnages qui ne nous ressemblent en rien.

— Justement ! En prenant l'apparence des personnages que vous incarnez, vous trahissez la nature et vous êtes sacrilège envers Dieu et sa création !

Ce langage était celui que tenait l'abbé Godet des Marais afin de faire cesser les représentations théâtrales à Saint-Cyr. Je me gardai bien de le révéler à Joséphine. Au contraire, j'affirmai :

— Le Roi, la Cour et de nombreux membres éminents du clergé sont venus assister aux représentations d'*Esther* à Saint-Cyr et aucun n'a eu de crainte quant au salut de son âme.

Je marquai un point. Elle demeura muette quelques secondes avant de m'assommer par cette phrase :

— L'Église excommunie les comédiens, c'est bien la preuve qu'ils sont hérétiques !

J'avais ouï-dire que Molière avait été enterré de nuit vingt ans plus tôt sans le secours de l'extrême-onction, car aucun prêtre n'avait voulu venir à son chevet.

Mourir ainsi est terrifiant.

Je savais tout cela, mais ma passion du théâtre était si forte et la mort si lointaine...

À mon tour, je restai coite.

C'est Marie qui prit la parole d'une toute petite voix :

— S'il vous plaît... Vous êtes les deux êtres qui me sont les plus chers et vos fâcheries me causent une grande peine.

Joséphine se tourna vers sa sœur, lui saisit la main et lui dit calmement :

— Un jour comme celui-ci, je m'en voudrais de te chagriner, comprenez toutefois que je n'agis que pour ton bonheur.

— Je le sais, ma chère Joséphine. Alors pour mon bonheur, veux-tu signer la paix avec Olympe ?

Joséphine hésita. Elle fit sans doute un grand effort pour m'adresser un souris coincé et me dire :

— Eh bien, mademoiselle, pour plaire à ma sœur, je lui obéis et ne parle plus de théâtre.

— Je vous remercie, lâchai-je du bout des lèvres.

— À la bonne heure ! s'enthousiasma Marie.

Puis, glissant son bras droit sous celui de sa sœur et son bras gauche sous le mien, elle proposa :

— Allons jusqu'à l'église pour rendre grâces à Dieu !

14

Marie marchait.

Elle mangeait aussi. La lumière ne l'incommodait plus. Elle reprenait petit à petit des forces et ne restait plus enfermée dans sa chambre.

Elle aimait se promener dans le parc. Enfin, ce n'était pas vraiment un parc. Les allées, les massifs étaient envahis par les herbes folles ; les arbustes, les rosiers, les buis, faute d'avoir été taillés, entremêlaient leurs branches. L'eau ne coulait plus des fontaines et les bancs de pierre avaient verdi sous la mousse. Lorsque je fis la comparaison avec le parfait ordonnancement des jardins de Versailles que j'avais eu la chance de voir deux fois, ce fouillis m'affligea, mais Marie, qui ne connaissait que son parc, le jugeait agréable. Je ne la détrompai pas.

Appuyée à mon bras, elle rendit visite à son faon dans l'enclos aménagé pour lui. Il s'était transformé en une jolie biche. Elle lui parla doucement, lui flatta l'encolure sans que l'animal fût effarouché.

— Je lui rendrai sa liberté sous peu. Il serait par trop égoïste de vouloir la garder par-devers moi pour mon seul plaisir.

Elle soupira, puis ajouta :

— Il me semble qu'il y a un siècle que je n'ai pas quitté mon lit !

— Trois mois, rectifia Joséphine, et j'ai bien cru que tu allais y demeurer à jamais.

Marie chassa d'un geste de la main cette pensée morbide comme l'on chasse une vilaine mouche. Elle était souriante. L'air lui rosissait les joues, faisait briller ses yeux et redonnait de l'éclat à ses longs cheveux bruns.

— Je suis si bien, à présent ! s'exclama-t-elle le nez au vent.

Cet aveu signait sa guérison.

Un souris béat flottait sur les lèvres de Joséphine. Elle tourna la tête vers moi et je lus de la gratitude dans son regard. Je lui souris à mon tour pour lui signifier que j'avais oublié toute l'animosité qu'elle avait eue envers moi. J'espérais que l'amitié naîtrait petit à petit entre nous.

Depuis que Marie allait mieux, un souci me rongeait. Qu'allait-il advenir de moi ? J'avais été invitée dans cette demeure pour sauver Marie. Elle l'était. On n'avait donc plus besoin de mes services. Alors ? Allait-on me renvoyer à Saint-Cyr pour devenir religieuse comme notre supérieure l'avait prévu ? Cela ne me plaisait pas du tout. Allait-on me conduire au couvent de la Visitation à Moulins ? Marie m'avait appris que sa sœur s'y rendait souventefois pour y prier et je craignais qu'elle n'envisageât de m'y enfermer. M. d'Aubeterre allait-il me chercher un parti ? Dans ce cas, puisque je n'avais point de dot, je servirais assurément de cadeau pour satisfaire un vieux barbon ami de la famille. Cela me déplaisait tout autant. Il me paraissait impossible que l'on me gardât. M. d'Aubeterre n'avait pas les moyens d'entretenir une personne de plus, sauf peut-être si j'acceptais le rôle de demoiselle de compagnie de Marie sans en avoir pour autant les gages[1]. À tout prendre, c'est ce qui me convenait le mieux. De toute façon, dans les trois possibilités qui me venaient à l'esprit, aucune ne me permettait de faire du théâtre. Mais je savais que, dans la vie, on ne fait pas toujours ce que l'on veut, surtout lorsqu'on naît fille.

Nous nous étions assises à l'ombre d'un tilleul, lorsque j'aperçus Léon qui courait vers nous, un pli à la main.

1. Le salaire.

Aussitôt mon sang se glaça. Quelle mauvaise nouvelle venait gâter notre bonheur tout neuf ?

Marie et Joséphine eurent la même réaction que moi. La première perdit en une seconde ses belles couleurs et la seconde porta une main à son cœur.

— Il vient d'arriver, expliqua Léon, un peu essoufflé. Monsieur n'est point là, alors, si c'est urgent...

— Merci, Léon, répondit Joséphine.

D'une main tremblante, elle tourna le pli pour en deviner l'auteur et ajouta :

— C'est... c'est l'écriture d'Éléonore.

— Éléonore ! s'écria Marie, il y a si longtemps que nous n'avons plus de nouvelles ! Oh, pourvu que tout aille bien pour elle... je commence juste à reprendre goût à la vie, et si par malheur, elle... je ne le supporterai pas.

Joséphine déchira le cachet de cire et lut à haute voix :

— *Chers parents...*

Ce préambule jeta un froid. Éléonore devait ignorer le décès de sa mère. Joséphine le confirma en ajoutant :

— Nous avons pourtant écrit à l'ambassade de Saxe, mais le courrier n'a pas dû lui parvenir.

Elle toussota et poursuivit :

Je ne sais pas par où commencer pour vous conter toutes les péripéties de mon existence depuis mon départ de Saint-Cyr. Il faut dire que les peines ne m'ont guère épargnée.

— Oh, la pauvre ! se désola Marie.

— *Je ne suis point l'épouse du baron Georges von Watzdorf, il est mort en arrivant en Saxe. Mais, Dieu ait son âme, ce gentilhomme n'avait aucune moralité et il avait trompé aussi bien Mme de Maintenon que vous, mon père, qui lui aviez donné votre accord pour notre union. Il était ruiné et avait même spolié sa fille unique pour mener grand train à la Cour.*

— Seigneur ! Mais comment a-t-elle pu vivre dans un si lointain pays dont, ai-je ouï-dire, les habitants ont les plus rustres et féroces manières ? s'inquiéta Marie.

— Vous le saurez bientôt, si vous me laissez lire ! gronda Joséphine. *Par chance, le neveu du baron a bien voulu me guider et m'aider dans cette ville de Dresde, qui m'était inconnue.*

— Pourquoi ne nous a-t-elle pas écrit ? Je suis certaine que père aurait fait l'impossible pour qu'elle revînt parmi nous !

— Peut-être n'a-t-elle pas pu le faire... et puis, si vous m'interrompez constamment, nous ne saurons jamais la suite ! *À présent, grâce à son courage et à son talent, Johann Böttger est sous la protection du prince électeur Frédéric-Auguste II et nous vivons assez agréablement dans un appartement situé au sein du château de Dresde.*

— Quel honneur pour notre famille qu'Éléonore soit reçue à la cour du prince de Saxe, s'exclama alors Joséphine.

— Je suis si heureuse pour elle ! Et que dit-elle encore de ce M. Böttger ? Je gage qu'il souhaite l'épouser !

— Vous avez gagné ! Voici la suite : *Aussi, je viens solliciter votre accord afin que nous puissions nous marier. M. Böttger est le cadet d'une famille catholique honnête quoique modeste, mais il n'exige aucune dot et vous combleriez mes vœux en ne refusant point notre union.*

— Pourvu que père accepte ! Mais quel dommage que nous ne puissions pas participer à la fête ! Promet-elle de nous rendre visite prochainement ?

— Non, elle conclut sa lettre par cette phrase : *Je vous embrasse tendrement mes chers parents et j'embrasse aussi mes sœurs qui me manquent autant que vous.*

— C'est tout ? C'est bien court. Elle ne dit pas grand-chose des difficultés qu'elle a rencontrées, ni des divertissements auxquels elle assiste à la cour du prince électeur. J'aurais tout voulu savoir !

— N'oubliez pas, ma chère enfant, que les lettres en provenance des pays étrangers sont lues par la police. Éléonore a dû garder une certaine réserve.

— Rentrons, je voudrais, à mon tour, lui écrire et lui conter la venue d'Olympe dans notre maison et aussi les circonstances qui l'ont menée jusqu'à moi. Elle sera sans doute contente de savoir que l'une de ses anciennes compagnes de Saint-Cyr m'est devenue une amie très chère.

Elle me prit la main en prononçant cette phrase et c'est d'un pas sûr que nous regagnâmes le salon.

CHAPITRE

15

Je n'avais toujours pas été congédiée.

Marie et moi continuions à apprendre des scènes de Molière, Racine ou Corneille pour notre plus grand plaisir.

Un soir, après souper, Marie demanda à son père :

— Vous plairait-il d'assister à une représentation théâtrale ?

— Je n'ai pas ouï-dire qu'une troupe était de passage à Moulins, répondit-il.

Joséphine avait froncé les sourcils.

— Eh bien, on vous aura mal informé, car il y en a une ! répliqua Marie. Installez-vous dans le salon bleu, les comédiens y seront bientôt.

Elle me décocha un clin d'œil malicieux. Son enthousiasme m'empêcha de la contredire, mais je craignais que jouer devant son père et sa sœur ne fût pas une bonne idée. Et puis, elle me prenait au dépourvu, car nous n'avions pas choisi ce que nous allions interpréter ni eu le temps de répéter de scènes. Je lui fis part de mes inquiétudes. Elle les balaya en assurant :

— Nous allons interpréter quelques scènes du *Cid* puis des *Femmes savantes* que nous savons par cœur. Ainsi, nous jouerons le tragique et le comique.

Elle était joyeusement excitée. J'étais, pour ma part, très anxieuse. Joséphine était hostile au théâtre, et s'il en était de même de M. d'Aubeterre, je risquais de devoir quitter la place sur l'heure.

Pourquoi, diantre, Marie souhaitait-elle cette confrontation ?

— C'est que, à présent, j'ai besoin d'un public pour me sentir vraiment comédienne.

— Vous savez pourtant bien que votre sœur honnit[1] le théâtre, quant à votre père...

— Justement, il nous faut les convaincre que le théâtre est une bonne chose.

Il était impossible de résister à Marie. Je cédai donc.

Le temps que M. d'Aubeterre s'installât dans un fauteuil, que Joséphine s'assît sur un ployant, nous étions prêtes.

---

1. Méprise, blâme, déteste.

Marie avança devant notre public et annonça que la troupe Marie-Olympe avait décidé de faire halte dans cette noble demeure pour y apporter de l'émotion et du rire en interprétant des œuvres de MM. Corneille et Molière. Je vis nettement Joséphine pincer les lèvres de dégoût. Mais M. d'Aubeterre souriait d'avoir été dupé par sa propre fille.

Nous jouâmes.

Je crois que j'ai été particulièrement mauvaise, tant j'avais d'appréhension. Marie interpréta tous ses rôles à la perfection. Joséphine essuya discrètement une larme, puis contint son hilarité lorsque Magdelon exigea de sa voix haut perchée qu'on lui « voiture ici les commodités de la conversation[1] ».

M. d'Aubeterre nous applaudit sans réserve. Joséphine frappa une ou deux fois des mains, pour ne pas peiner Marie, mais tout dans son attitude montrait qu'elle réprouvait le théâtre. Et pourtant, j'étais certaine qu'elle y avait pris du plaisir !

Nous saluâmes notre public, comme de véritables comédiennes.

Marie rayonnait.

Lorsque son père vint la féliciter, elle affirma :

— Plus tard, je serai comédienne.

Il éclata de rire, comme s'il s'agissait d'un caprice d'enfant, mais Joséphine devint aussi rouge qu'une

---

1. *Les Précieuses ridicules*, scène 9.

pivoine et protesta, la voix tremblante d'indignation :

— Je vous l'interdis ! Les comédiennes sont
vouées aux flammes de l'enfer.

— L'enfer ! Vous n'avez que ce mot à la bouche,
s'emporta M. d'Aubeterre. Il vous empêche de vivre
normalement. Pire, vous empêchez les autres de
vivre !

Piquée au vif, Joséphine répondit :

— Vivre dans le péché, ce n'est point vivre !

— Allez au théâtre, au bal, à la chasse, sortir,
voir du monde n'est pas défendu, que je sache. Et
puis, je suis veuf. J'ai pleuré mon épouse, mais à
présent j'ai le droit de mener l'existence qui me
convient et je n'ai pas de comptes à vous rendre.

— Le jour du Jugement dernier, le Seigneur vous
reprochera votre vie de débauche. Il sera alors trop
tard.

— Il suffit ! s'emporta M. d'Aubeterre qui sortit
de la pièce à grandes enjambées.

J'étais honteuse d'avoir assisté à cette dispute.

M. d'Aubeterre menait-il vraiment une existence
dissolue, ou la trop sage et vertueuse Joséphine
voyait-elle le mal où il n'était pas ? Je penchais
pour la deuxième solution, car il me semblait que
Mme de Maintenon ne m'aurait point confiée à un
gentilhomme de mauvaise réputation.

La joie de Marie s'était éteinte. Le décès de sa chère maman, le départ de ses sœurs, les différends entre son père et Joséphine pouvaient bien être à l'origine de cette maladie de langueur qui s'était emparée d'elle.

Craignant que la maladie ne ressurgît par la faute de cet incident, je choisis de l'ignorer et je m'exclamai d'une voix gaie :

— Il me semble que nous avons eu un certain succès et que la preuve de votre talent n'est plus à faire !

Joséphine, regrettant sans doute de s'être laissé emporter, ajouta :

— J'avoue que vous m'avez étonnée. Votre mémoire est sans défaut et vous déclamez fort bien.

Surprise par le revirement de sa sœur, Marie recouvra le souris.

— Vous avez aimé ? interrogea-t-elle.

— L'écriture est belle, même si je n'approuve ni l'expression inconvenante des sentiments amoureux dans *Le Cid,* ni l'art de se moquer des travers de son prochain dans *Les Précieuses ridicules.* Je préférerais vous entendre dans l'une des fables moralisatrices de M. de La Fontaine, ces textes permettent de réfléchir et même l'Église les conseille.

— Nous en savons aussi !

— Fort bien. Alors, je vais vous donner l'occasion d'exercer votre talent.

— Vrai ?

— La comtesse de Montgilbert, qui a offert plusieurs messes pour votre guérison, a la bonté de nous convier demain en sa maison pour y entendre de la musique et de la poésie.

— Je me réjouis de revoir cette dame qui était une amie de maman.

— Je vous suggère de réviser une ou deux fables parmi celles dont les morales sont les plus nobles, afin de les réciter. Ce sera, en quelque sorte, votre façon de la remercier.

— J'y mettrai tout mon cœur !

Marie se tourna alors vers moi :

— Allons vite choisir celles que nous interpréterons. Il nous faudra ensuite les apprendre et les travailler comme de véritables comédiennes afin de ne pas subir l'affront de trébucher sur le texte !

Lorsque la jeune fille prononça « comédienne », je vis Joséphine pincer les lèvres. Je suppose que réciter une fable ou une poésie ne représentait pas pour elle un travail de comédienne et qu'elle aurait voulu que Marie oubliât définitivement ce mot.

CHAPITRE
16

Le château de Montgilbert ne ressemblait en rien à la demeure des d'Aubeterre.

Le parc était parfaitement entretenu : les allées ratissées, les arbustes taillés, les massifs bien ordonnés.

Lorsque nous arrivâmes devant le perron, dans la calèche bringuebalante conduite par Léon, plusieurs voitures aux caisses rutilantes, certaines surmontées de plumets, étaient déjà rangées devant l'aile droite. Joséphine parut gênée :

— Je ne pensais pas qu'il y aurait autant de monde, dit-elle.

Un valet se précipita pour nous ouvrir la portière et déplier le marchepied. Elle descendit la première et examina les armoiries peintes sur les portières afin de deviner par avance qui serait présent, mais elle ne fit aucun commentaire.

J'avais bien failli ne point venir. En fait, je n'étais point invitée, étant certainement inconnue de Mme de Montgilbert.

Joséphine m'avait dit :

— Vous habillerez Marie avec la robe de soie bleu ciel ornée de dentelle du Puy. C'est le dernier cadeau de notre chère mère. Et vous la coifferez aussi, sans trop de rubans, juste un voile de poudre.

Mais Marie s'était étonnée :

— Olympe ne vient pas avec nous ?

— Elle n'est point invitée.

— Dans ce cas, je n'irai pas non plus.

— Cessez vos enfantillages ! avait grondé Joséphine. Mlle de Bragard n'est que... enfin, elle ne peut pas...

— Je ne viens pas, s'était opiniâtrée[1] Marie.

— Ce serait faire un terrible affront à la comtesse. Elle donne ce divertissement pour fêter votre rétablissement.

— Cela m'est égal. Sans Olympe, je ne viens pas.

Joséphine me foudroya du regard, comme si j'étais fautive. J'essayai donc de raisonner Marie, mais rien n'y fit. Sa sœur soupira et finit par céder. Alors Marie enchaîna :

1. Obstinée.

— Il lui faut une tenue. Elle ne peut pas venir avec la vieille robe que tu lui as prêtée.

— Je n'ai, moi-même, aucun vêtement neuf, répondit Joséphine assez sèchement, et vous le savez bien.

— Certes. Mais peut-être trouverons-nous une jupe et un bustier à sa taille dans le coffre de la chambre de maman ?

Cette proposition me pétrifia. Quant à Joséphine, elle bredouilla :

— Vous voulez qu'elle porte un vêtement ayant appartenu à... à notre mère ?

— Olympe en est digne. Elle m'a été désignée par une voix céleste, peut-être même était-ce celle de maman, et elle m'a sauvée de la maladie qui me rongeait.

Qu'elle souhaite que je porte un vêtement de sa mère prouvait qu'elle avait surmonté son chagrin. Je protestai cependant :

— Non, non, je ne puis accepter.

— C'est moi qui vous le commande. Cela me fera grand plaisir et je suis certaine que maman m'approuve du haut des cieux.

Ce dernier argument sembla convaincre Joséphine. Elle s'éloigna et revint quelques instants plus tard avec une jupe violine brodée de fleurs ivoire et assortie à un bustier.

— Elle n'a pas eu le temps de la porter, m'informa-t-elle, émue.

L'émotion me gagna aussi. Je caressai l'étoffe, j'aurais tant voulu, moi aussi, avoir un souvenir de ma mère. Mais je n'avais pas même un mouchoir de col. Ma main se crispa sur le tissu soyeux et ma vue se brouilla. J'eus un bref instant l'impression que j'étais dans un autre lieu en train de m'agripper à la jupe de ma mère qui se penchait vers moi. Mais ce fut si fugace...

— Vous ne vous sentez pas bien ? m'interrogea Marie.

Reprenant mes esprits, j'affirmai :

— Ce n'est rien.

Puis j'ajoutai :

— Êtes-vous certaine que me voir dans cette tenue ne va pas raviver votre peine ?

— Je suis forte à présent, et c'est grâce à vous.

Je l'embrassai avec tendresse, puis j'allai dans ma chambrette, où, à la lueur d'une chandelle, je me changeai. Mme d'Aubeterre avait sensiblement ma taille. Le bustier était un peu trop large, mais si Joséphine m'aidait à l'ajuster en serrant au maximum le lien de soie, cela ne se verrait point. J'hésitais à entrer dans la chambre de Marie, craignant de la bouleverser. Il me fallut pourtant bien pousser la porte. Je le fis lentement. Marie me regarda sans faillir. Joséphine porta une main à sa gorge comme pour retenir un cri.

— Vous êtes très jolie, murmura Marie, après un long silence.

— Je n'ai jamais porté quelque chose d'aussi somptueux, répondis-je afin d'attirer l'attention sur la qualité de l'étoffe et non sur la personne à qui elle était destinée.

— Notre mère aimait les belles choses, prétendit Joséphine.

Et ce fut tout.

À présent, je soulevais le devant de ma jupe afin de ne point me prendre les pieds dans le tissu en montant les marches du perron. Un valet en livrée nous introduisit dans une vaste pièce dont les murs étaient couverts de tapisseries. Bien que le temps fût doux, un feu brûlait dans la cheminée. Des fauteuils étaient alignés à proximité du foyer, certains étaient déjà occupés. La maîtresse de maison se leva à notre arrivée et, s'avançant vers nous, elle nous dit, assez haut pour que les autres puissent entendre :

— Voici mes charmantes amies, Marie et Joséphine d'Aubeterre.

Puis, prenant la main de Marie, dont je devinai immédiatement qu'elle était sa préférée, elle poursuivit :

— Ma chère enfant, je suis si heureuse que vous ayez enfin recouvré la santé.

— Je vous remercie pour votre sollicitude, madame. Permettez-moi de vous présenter Olympe de Bragard, élève de la Maison Royale de Saint-Louis. C'est à elle que je dois mon retour à la vie.

Je lui fis une petite révérence de politesse comme on nous l'avait appris à Saint-Cyr. Piquée par la curiosité, elle ajouta :

— Comment cela ?

— Oh, c'est une longue histoire, expliqua Marie.

— Vite, il faut nous la narrer. Nous sommes tous ici friands de contes. Venez, je vais vous présenter.

Elle nous nomma Mme de Botz et sa fille Eugénie qui me parut timide à l'excès, car elle osa à peine lever les yeux sur nous. M. le comte de Châtillon, qui essayait de compenser la perte de sa jeunesse en se couvrant de rubans et de dentelles des chevilles à la veste. Mme de Salvignac, une vieille dame vêtue de sombre mais dont le regard pétillait de malice, et un homme, jeune, ayant fière allure : le sieur Pierre de Coubontin.

— Prenez place, mesdemoiselles, nous dit Mme de Montgilbert. Nous attendons encore quelques personnes avant de commencer.

Nous nous posâmes sur les fauteuils, sans nous y installer confortablement, le dos droit, les pieds à plat sur le sol : règle d'or des demoiselles de qualité.

Un valet apporta de la liqueur de framboises, du vin d'hypocras et du sirop d'orgeat. Marie prit de l'orgeat. Je me laissai tenter par le vin d'hypocras qui passait pour avoir été la boisson préférée de feu la reine mère de notre Roi.

Un autre nous proposa sur des plateaux d'argent des massepains, des fruits confits et diverses pâtisseries dont j'ignorais le nom.

Jamais je n'avais vu autant de douceurs. La salive me vint à la bouche. J'avais envie de toutes les croquer !

Marie fut chargée de relater sa renaissance. Et lorsqu'on me donna la parole, je me contentai d'une phrase empreinte de modestie.

Je ne souhaitais pas être transformée en sainte.

CHAPITRE
17

Cinq autres personnes arrivèrent, ce qui porta l'assistance à quatorze.

— Eh bien, nous voilà au complet ! s'exclama Mme de Montgilbert. Vous avez sans doute remarqué que nous ne sommes point installés en arc de cercle comme il est de coutume, mais que les sièges sont alignés sur deux rangées.

Cela m'avait en effet étonnée lorsque j'étais entrée dans le salon.

— C'est que je vous ai réservé une surprise ! J'ai convié une troupe de comédiens, de passage dans notre région, à venir jouer pour nous.

Des murmures de satisfaction se firent entendre. Un large sourire éclaira le visage de Marie et le mien. Je vis se renfrogner Joséphine. Je suppose que si elle avait connu le programme de cet après-dîner, elle aurait refusé de venir.

Un homme assez corpulent, vêtu d'un costume flamboyant, orné d'une masse de dentelles et de fanfreluches, s'avança vers nous, ôta son immense chapeau couvert de plumes, s'inclina exagérément et nous annonça d'un ton pompeux :

— La troupe que je dirige a l'honneur de vous présenter *Pausanias,* une tragédie de M. Quinault dont l'éloge n'est plus à faire[1], et *Les Précieuses ridicules,* une comédie de M. Molière que nous avons eu le privilège de présenter à Monseigneur le dauphin à Meudon et plusieurs fois à Chantilly pour la plus grande joie des princes qui y ont assisté.

Mme de Montgilbert, installée au premier rang, se tourna vers ses invités en hochant la tête : la troupe qu'elle avait retenue n'était pas composée de saltimbanques de bas niveau.

La première pièce nous émut, même si à mon goût celui qui tenait le rôle de Pausanias en faisait trop dans la grandiloquence, rendant ainsi son personnage plus proche du comique que du tragique. Et puis je regrettais fort qu'il n'y eût point d'intermède chanté comme dans *Esther.* Pendant

---

1. *Pausanias,* tragédie de Philippe Quinault (1635-1688), a pour thème le conflit entre Grecs et Perses au Vᵉ siècle avant J.-C.

que les comédiens se changeaient, les valets nous servirent des rafraîchissements ; la conversation s'orienta tout naturellement vers le théâtre.

— Avez-vous vu *Roland,* la tragédie lyrique de M. Quinault mise en musique par Lully ? demanda le sieur de Coubontin.

— Non point, elle ne se donne pas dans notre province et Paris est bien loin, soupira Mme de Salvignac en resserrant son châle sur ses épaules.

— J'ai eu la bonne fortune de la voir. C'est grandiose ! La machinerie est fort impressionnante, la musique sublime, les ballets magnifiques. On ne s'ennuie pas une minute.

— Oh, comme j'aimerais moi aussi assister à une tragédie lyrique ! s'exclama Marie.

La vieille dame lui lança un regard de reproche et ajouta :

— Ce ne sont certes pas des spectacles pour de jeunes demoiselles. La passion amoureuse y est dépeinte sous des jours favorables et le mariage souvent bafoué. Cela met dans les esprits des idées qui sont bien éloignées de celles que l'Église, la morale et l'obéissance à ses parents recommandent.

L'assistance opina du chef[1] d'un air entendu. Marie rougit. Mais Mme de Montgilbert dissipa le malaise naissant en tapant dans ses mains.

1. Approuver en hochant la tête.

Aussitôt, les comédiens entrèrent. Ils portaient de nouveaux costumes et, sans attendre, attaquèrent la scène 1.

Marie et moi connaissions la pièce par cœur, et nos lèvres bougeaient à l'unisson de celles des artistes. Cependant, nous prîmes un plaisir immense à l'entendre interpréter d'une autre façon que celle que nous avions choisie. J'étais certaine que Marie jugeait le travail des comédiens comme je le faisais : « Tiens, je n'aurais pas joué ce rôle de cette façon » ou « Magdelon n'a pas un ton assez précieux » ou encore « Mascarille est vraiment excellent ! » Le regard que nous échangeâmes me le confirma.

La fin de la représentation fut saluée par des applaudissements. Certains sincères, d'autres polis seulement. Marie et moi étions enthousiastes.

Le directeur présenta un à un les artistes, puis Mme de Montgilbert les invita à venir se désaltérer et à déguster quelques douceurs en notre compagnie. À ce moment-là, je compris qu'elle aimait vraiment le théâtre. En effet, elle bavarda avec le sieur Baron et adressa un mot aimable à chacun des acteurs.

Marie était ravie de pouvoir approcher les comédiens et je partageais sa joie.

— Alors, demoiselles, s'informa M. Roman qui avait joué le rôle de Mascarille, est-ce que cela vous a plu ?

Dépourvu de son costume par trop extravagant, il avait belle allure. Il ne devait pas avoir plus de trente ans.

— Beaucoup, monsieur, répondit Marie.

— J'en suis bien aise, car, voyez-vous, comédien n'est point un bon moyen pour s'enrichir. Notre seule motivation est la satisfaction du public.

— Aller de ville en ville pour promouvoir votre art et rencontrer des gens de qualité doit être fort agréable, reprit Marie.

Elle était joyeuse et essayait d'accaparer l'attention du comédien en le bombardant de questions.

— Avez-vous joué devant le Roi ?

— Certains membres de la troupe ont eu cet honneur lors des fêtes de février 1692 données pour le mariage de Mlle de Blois avec le duc de Chartres[1]. Je n'y étais point. Il est préférable pour moi de ne point paraître à la Cour.

— Seriez-vous un dangereux repris de justice ! plaisanta-t-elle.

— Qui sait, demoiselle ? conclut le comédien en exécutant une pirouette qui démentait ses propos.

— Et si, nous aussi, nous vous jouions quelque chose ? suggéra Marie.

1. Le 18 février 1692, Mlle de Blois, fille de Mme de Montespan et du roi, a épousé Philippe d'Orléans, duc de Chartres, fils du frère de Louis XIV et de la princesse Palatine.

Je la jugeais bien audacieuse d'oser proposer nos modestes saynètes après avoir assisté à la prestation de véritables comédiens, aussi je m'interposai :

— Voyons, nous n'avons pas le talent de...

Mais le jeune homme m'interrompit gentiment :

— Laissez-nous en juger.

Puis, faisant mine d'emboucher la trompette d'un héraut annonçant l'entrée en lice d'un chevalier, il émit avec la bouche le bruit de l'instrument et annonça :

— Oyez, oyez, bonnes gens, le spectacle continue !

Les invités interrompirent leurs conversations et le comédien poursuivit :

— Pour prolonger le divertissement, deux gentes demoiselles vont nous interpréter...

Il se baissa vers Marie qui lui souffla le titre de deux fables à l'oreille.

— *Le Corbeau et le Renard* et *La Cigale et la Fourmi,* clama-t-il.

Mme de Montgilbert reprit place dans son fauteuil.

— Voilà une excellente idée, assura-t-elle. J'apprécie beaucoup les fables de M. de La Fontaine.

Tout le monde s'assit à sa suite.

L'appréhension fit battre mon cœur de façon désordonnée, mais dès que je récitai le premier vers, j'oubliai les gens autour de moi pour ne penser qu'à bien prononcer mon texte. Marie me répondait avec brio. En quelques secondes, nous retrouvâmes tout le bonheur de jouer ensemble.

Nous fûmes très applaudies, même par Joséphine. La troupe au complet, massée derrière les fauteuils, nous félicita. Mais je fus surtout surprise lorsque le directeur de la troupe s'approcha pour nous dire :

— Vous avez l'étoffe de véritables comédiennes, et si j'avais les moyens de vous engager dans ma troupe, je le ferais sur l'heure.

Marie sourit, flattée par le compliment.

— Je ne pense pas que mon père et ma sœur accepteraient que je me dirige dans cette voie. Et puis, je n'ai que douze ans ! Cependant, il est vrai que depuis que je connais Olympe, le théâtre est devenu ma grande passion.

— Eh bien, demoiselle Olympe, je vous remercie de promouvoir ainsi le théâtre qui est notre raison d'être !

Il s'inclina devant moi et j'étais si étonnée d'avoir été remarquée par un homme de la profession que je restai muette.

18

Les jours suivants, Marie voulut apprendre de nouvelles pièces. Je lui proposai *Andromaque* et *Le Malade imaginaire*. Nous prîmes beaucoup de plaisir à en jouer quelques scènes, mais Marie regrettait que nous ne soyons que deux pour interpréter tous les personnages.

À présent, nous ne nous cachions plus de Joséphine et elle nous surprit plusieurs fois en train de répéter. Elle ne fit aucun commentaire. Je supposais que Mme de Montgilbert, qui appréciait si fort le théâtre, l'avait persuadée que nous n'agissions pas mal en récitant des vers et que jouer la comédie entre nous n'avait rien de répréhensible.

En tout cas, il était incontestable que Marie avait recouvré la joie de vivre.

Cinq jours plus tard, alors que je m'étais approchée de la fenêtre de la chambre de Marie, je vis arriver un cavalier, monté sur une mazette de louage[1]. Il s'arrêta devant le perron, sauta de sa monture et attendit quelques instants qu'un valet se présentât pour l'introduire dans la maison.

— Nous avons de la visite, dis-je à Marie.

Le fait était si rare qu'elle se précipita à mon côté. Le visiteur ôta son chapeau et leva la tête.

Marie le reconnut.

— C'est le directeur de la troupe qui a joué chez Mme de Montgilbert ! Sans doute vient-il proposer à père de donner une représentation chez nous. Vite, allons l'accueillir comme il se doit.

Lorsque nous atteignîmes le bas des degrés, Joséphine venait d'ouvrir la porte au visiteur qui, s'inclinant devant elle, se présentait :

— Bonjour, demoiselle, je suis Michel Baron[2], directeur de la troupe dont vous avez, je crois, apprécié le travail chez Mme de Montgilbert. Veuillez excuser mon arrivée matinale dans votre demeure, mais un événement dramatique m'y oblige.

— Entrez, monsieur, notre père est... occupé sur ses terres, mais en son absence, puisque je suis l'aînée, je vous écoute.

---

1. Mauvais cheval loué dans un relais à chevaux.
2. Michel Baron (1653-1729), comédien et auteur dramatique français.

M. Baron m'aperçut alors et s'adressa à moi :

— Ah, demoiselle, je suis bien aise que vous soyez là, car c'est pour vous que je viens.

— Pour moi ? m'étonnai-je.

— Parfaitement. Mlle Guérande, attachée aux rôles de servante, de confidente, est souffrante. Elle ne pourra point travailler durant plusieurs jours. Or, nous devons jouer demain chez Mme de Saint-Roch à dix lieues d'ici. Cette représentation est importante pour notre troupe, car cette dame m'a promis de me recommander à ses nombreux amis, ce qui assurerait notre subsistance pour plusieurs mois.

Je pressentais où il voulait en venir, sans parvenir toutefois à me persuader que j'étais dans le vrai, tant cela me paraissait incroyable. Le souffle court, je lâchai :

— Et alors ?

— Nous lui cherchons une remplaçante. Et dans cette province, je ne connais personne, à part vous, susceptible de reprendre ses rôles au pied levé[1].

Je demeurai abasourdie par cette annonce alors que Marie s'enflammait :

— Quelle chance ! Vous allez enfin pouvoir réaliser votre rêve !

Mais Joséphine affirma :

1. Sans préparation.

— Je ne pense pas que notre père soit d'accord pour que Mlle de Bragard quitte cette maison et coure les chemins avec des comédiens.

— Vous m'offensez, demoiselle, répliqua M. Baron. Nous ne sommes pas de vulgaires saltimbanques jouant devant les églises en échange de quelques pièces. Nous ne nous produisons qu'à l'invitation de gens de qualité qui apprécient notre art. Et puis, ce n'est l'affaire que de quelques jours.

— Je vous entends, monsieur, néanmoins je...

— Joséphine, oubliez-vous qu'Olympe m'a sauvée, intervint Marie, alors que les médecins et les prières me conduisaient au trépas !

— Certes...

— Alors, ma chère sœur, je vous en supplie, accordons-lui le bonheur d'être comédienne pour quelque temps.

Je m'étonnai que Marie, avec qui j'avais noué une profonde amitié, ne cherchât pas à me retenir, mais au contraire mît tout en œuvre pour convaincre sa sœur de me laisser partir. C'était le signe d'une grande âme.

— Je ne le puis. Seul père doit prendre cette décision.

— Il n'est pas là. Hier soir il est venu m'annoncer qu'il s'absentait pour la semaine. On lui a appris que des brigands semaient la terreur chez nos fermiers dans le sud de la province. Des gentilshommes se regroupent pour tenter de les chasser et il souhaite leur prêter main-forte. Si nous attendons son retour, il sera trop tard.

— En effet, intervint le sieur Baron. D'ici quatre ou cinq jours, Mlle Guérande sera probablement guérie.

— Pendant l'absence de père, c'est bien toi qui gères la maison ? insista Marie.

— Certes.

— Cela prouve qu'il a entièrement confiance en toi, n'est-ce pas ?

Joséphine hésita. Sans doute pesait-elle le pour et le contre. Elle avait là l'occasion de montrer son autorité et de se substituer à son père, toujours absent et qui ne cessait de lui reprocher sa trop grande rigueur. Cette perspective n'était point pour lui déplaire. Et puis si je partais, elle pourrait tenter de reconquérir, auprès de sa sœur, la place que je lui avais prise.

Petit à petit, l'expression de son visage changea et je compris qu'elle acceptait.

— Si c'est l'affaire de quelques jours...

— Merci, murmurai-je, vous comblez tous mes souhaits.

— C'est moi, Olympe, qui vous dois des remerciements et je crois bien que, jusqu'à ce jour d'hui, je n'avais pas eu l'occasion de les exprimer. Voilà qui est fait.

— Ah, Joséphine, je suis si heureuse que tu reconnaisses les mérites d'Olympe. Vous m'êtes si chères toutes les deux ! À présent me voilà la plus heureuse des demoiselles !

Elle me saisit alors la main et ajouta d'une voix soudain grave :

— Je ne vous oublierai pas, Olympe... Je suis certaine que vous allez devenir une grande comédienne !

— Oh, là, l'interrompis-je, il ne s'agit que d'un remplacement, et d'ici une semaine au plus, je serai de retour...

— Peut-être...

Je plongeai mon regard dans le sien. Il était noyé de larmes. Avait-elle une prémonition ? L'inquiétude m'envahit tout soudainement et j'allais lui demander de m'expliquer ses craintes lorsque le sieur Baron qui rongeait son frein depuis de longues minutes, dansant d'un pied sur l'autre, intervint :

— Demoiselle, si vous acceptez ma proposition, il faut me suivre sur l'heure. Vous devez apprendre votre rôle, car nous jouons demain !

— Quel rôle va-t-elle interpréter ? s'informa Marie, comme si elle voulait chasser de son esprit les sombres visions qui l'habitaient.

— Celui de Magdelon dans *Les Précieuses ridicules* de M. Molière et celui d'Elvire dans *Le Cid* de M. Corneille.

J'échangeais un souris complice avec Marie.

— Oh, alors, tout se passera pour le mieux, Olympe connaît ces deux pièces par cœur !

Je la serrai contre moi, car j'eus à mon tour l'étrange impression que nous nous quittions pour longtemps. Afin de ne point être submergée par l'émotion, je dis sur le ton de la plaisanterie :

— Et si M. Baron n'est point satisfait de mes prestations, je vous proposerai pour me remplacer. Et qui sait si, dans quelques années, ce n'est pas moi qui irai vous applaudir au théâtre ?

Joséphine pinça les lèvres, mais Marie lança avec malice :

— Je l'espère bien !

CHAPITRE
19

M. Baron me tendit sa cape, dans laquelle je m'enveloppai, puis il m'aida à monter en croupe et sans plus de façon s'installa derrière moi. J'étais fort gênée de sentir le poids de son corps contre moi. Il paraissait parfaitement à l'aise. Il piqua des deux et nous nous éloignâmes au trot. Je tentai de me retourner pour apercevoir la silhouette de Marie, lui adresser un signe d'au revoir, mais cela me fut impossible, car les bras puissants du cavalier m'enserraient le torse.

Dieu que je fus secouée !

Le trajet me parut interminable.

Nous n'échangeâmes pas un mot. De temps à autre, M. Baron lançait un cri au cheval pour lui intimer l'ordre de ralentir, d'accélérer, d'aller plus à gauche ou à droite. J'espérais chaque fois que ce serait un cri pour l'arrêter afin que je puisse en descendre, mais une éternité s'écoula avant qu'il ne criât en tirant sur les rênes :

— Ho ! Ho !

Il sauta de l'animal avec adresse, et m'invita à me laisser glisser entre ses bras. Le vent m'avait assourdie, la poussière me piquait les yeux, j'avais le dos rompu, ma jupe était froissée et mes cheveux décoiffés pendaient lamentablement sur mes épaules.

Nous étions devant l'auberge du Grand Bœuf, qui me parut bâtie en pleine campagne.

— C'est ici que nous logeons, m'annonça M. Baron. Venez, je vais vous présenter à la troupe.

Je le retins par le bras et lui dis :

— Il me gênerait d'exercer ce métier sous mon véritable nom... je... enfin...

— Oh, ne cherchez point d'excuse, vous n'êtes pas la seule dans ce cas. La moitié de la troupe porte un nom d'emprunt. Quel sera le vôtre ?

Je réfléchis un instant et, en souvenir de la douce Marie, je proposai :

— Mlle Olympias.

De l'extérieur nous parvenaient des éclats de rire, des bruits de conversation, et lorsque M. Baron poussa la porte, des relents de potage, de viandes rôties, de vin mêlés aux odeurs corporelles de ces hommes et femmes ayant voyagé de longues heures par tous les temps et les mauvais chemins me saisirent à la gorge. On n'y voyait goutte, car la fumée de l'immense cheminée déposait un voile dans la salle où le jour pénétrait seulement par deux petites fenêtres aux carreaux sales.

— Ah ! Baron ! s'exclama un jeune homme, on a mangé sans toi, pour pouvoir répéter.

— Vous avez bien fait.

Puis il interpella un gros bonhomme au ventre ceint d'un tablier répugnant :

— Ho, l'aubergiste, apporte-nous deux assiettes de ton potage !

L'autre maugréa je ne sais quoi en entrant dans sa cuisine. Pendant ce temps M. Baron me présenta :

— Voici donc Mlle Olympias dont nous avions tous remarqué le talent chez Mme de Montgilbert.

Puis, se plantant devant une longue table entourée de convives, il me désigna la plus âgée et ajouta :

— Mlle Debrie qui joue à merveille les prudes, les mères possessives mais aussi les pères bougons lorsque les rôles masculins sont trop nombreux pour notre petite troupe. Elle s'occupe aussi des costumes et... et c'est une fameuse cuisinière !

Je m'étonnais un peu que l'on donnât du « mademoiselle » à cette dame d'un âge avancé. Mais j'appris plus tard que c'était une coutume au théâtre.

— Coquin ! commenta l'intéressée, j'espère que ce n'est point uniquement pour ma cuisine que je conserve ici ma place !

Baron sourit sans répondre, car il me présentait déjà une demoiselle blonde fort jolie :

— Camille Voinon à qui échoient tous les rôles de jeunes premières amoureuses, et à son côté Armande Vignerelle, notre tragédienne, qui arrache des larmes aux plus endurcis mais qui sait aussi être une parfaite précieuse.

Camille me sourit, mais Armande hocha simplement la tête. Il me parut que mon arrivée au sein de la troupe ne lui plaisait point trop.

— Voilà pour les dames, poursuivit Baron. Pour les messieurs, nous avons M. Vignerelle, l'époux d'Armande, qui fait merveille dans les rôles de cocus.

Cette boutade fit rire l'assistance, sauf Mlle Vignerelle qui se renfrogna.

— Puis Maxence Dupuis qui aurait pu faire son entrée à la Comédie-Française mais a préféré notre vie errante et la chaleur de notre amitié, ce dont nous lui sommes éternellement reconnaissants.

En prononçant cette phrase, Baron s'inclina légèrement devant son compagnon. Je me demandais s'il s'agissait de la vérité ou simplement d'une mascarade pour m'amuser.

— Et enfin, je n'ose dire que j'ai gardé le meilleur pour la fin... parce que c'est un peu le contraire...

Je reconnus le comédien avec qui Marie avait parlé chez Mme de Montgilbert. Il se leva du banc sur lequel il était assis et s'insurgea d'une voix faussement courroucée :

— Comment ça le contraire ?

— Eh bien, tu es arrivé le premier dans notre troupe, mais tu n'es pas franchement le meilleur !

— Oses-tu prétendre que ce n'est pas moi qui déclenche le plus de rires ?

Le jeune homme exécuta alors une série de sauts, marchant sur les tables en équilibre sur les mains sans renverser les verres, puis après un saut périlleux arrière, il se retrouva à genoux devant moi, me tendant un bouquet imaginaire. Tous les clients de l'auberge applaudirent. Et M. Baron ajouta :

— Il est vrai que, pour les pitreries, tu es le roi !

Le comédien se releva, s'inclina devant moi et me dit avec un sérieux exagéré :

— Puisqu'on oublie de me présenter, je le fais moi-même. Mon nom est Roman. Il sera bientôt célèbre, car tôt ou tard la Comédie-Française viendra me supplier d'entrer dans son illustre maison. En effet, je suis le seul à pouvoir interpréter avec autant de panache les pièces de Molière, Corneille ou Racine.

— La modestie est une de ses principales qualités, se moqua Camille.

— La modestie est réservée aux petites gens. La gloire et l'honneur à ceux qui savent prendre des risques, répliqua-t-il.

L'aubergiste, déposant deux assiettes de terre fumantes sur la table, rompit la conversation. M. et Mme Vignerelle se levèrent pour nous laisser leur place. Je n'avais pas vraiment faim. Toutes ces émotions depuis le matin m'avaient mis l'estomac à l'envers.

— Au fait, demanda M. Baron en s'asseyant, comment va Françoise ce jour d'hui ?

— La fièvre est toujours là, répondit Mlle Debrie.

— Espérons qu'après quelques semaines de repos elle pourra revenir parmi nous, ajouta Maxence Dupuis.

Je baissai le nez dans mon assiette fumante. Malgré moi, je ne pus m'empêcher de souhaiter que Françoise ne recouvrât pas la santé trop promptement. J'avais envie de goûter pleinement aux joies du théâtre et il me parut qu'une semaine ne serait pas suffisante. Quel supplice ce serait de devoir quitter la troupe juste après y avoir été admise ! Certes, je reverrais Marie... mais après avoir savouré le bonheur d'être sur une scène, je craignais de mourir d'ennui si j'en étais privée.

20

J'eus de la peine à finir mon assiette. Tant d'idées contradictoires tourbillonnaient dans mon esprit. Je m'y efforçais cependant afin de ne point faire accroire que j'étais délicate. La dernière bouchée avalée, Baron m'ordonna :

— File vite dans la chambre des dames pour y apprendre tes rôles !

Il s'arrêta soudain et ajouta :

— Ah, j'ai oublié de te préciser que tous les gens de théâtre se tutoient, j'espère que cela ne te chagrine pas.

— Point du tout, répondis-je.

À dire vrai, je savais qu'il me serait difficile d'adopter le tutoiement quand, depuis toujours, j'utilisais le vouvoiement qui est d'usage courant chez les gens de qualité.

La pièce dans laquelle je pénétrai avec les trois autres comédiennes n'était pas très grande. Deux lits face à face, un coffre et une cheminée la meublaient entièrement. On avait peine à y circuler. Mlle Debrie saisit un bustier et une jupe de taffetas jaune négligemment jetés sur le coffre, s'empara d'une bobine de fil déposée à même le sol et nous dit :

— J'ai de l'ouvrage ! Il y a toujours une couture qui craque, un jupon qui se déchire ! Révisez donc sans moi !

Nous nous assîmes toutes les trois sur un lit. Armande sortit de dessous le matelas une liasse de feuillets où était reproduit le texte des pièces que nous devions jouer. Les feuillets portaient des annotations dans la marge, des flèches montantes ou descendantes et divers signes étranges.

— Ce sont les consignes de Baron. Certaines indiquent une tonalité, d'autres la place que nous devons occuper sur la scène, d'autres un geste, une expression du visage. On t'expliquera au fur et à mesure.

— Commençons par *Les Précieuses ridicules,* dit Camille. Je joue Cathos, Mlle Vignerelle interprète

La Grange, un rôle masculin. Tu seras donc Magdelon.

— J'aurais très bien pu assurer ce rôle, se plaignit Armande.

— Sans doute. Mais Baron pense que tu es la
seule à pouvoir jouer avec autant de talent un rôle
masculin, suggéra Mlle Debrie sans lever le nez de
son ouvrage.

Ne souhaitant pas indisposer Mlle Vignerelle, je
proposai :

— Si vous... euh, si tu le souhaites, je te laisse le
rôle de Magdelon et je prends celui de La Grange,
je le connais aussi.

Elle me toisa, comme si je me mêlais de ce qui
ne me regardait point et me répondit :

— Cela ne dépend pas de moi. C'est le directeur
de notre troupe qui décide. Et puis, tout le monde
n'excelle pas à jouer un personnage masculin avec
conviction.

J'eus l'impression de recevoir un soufflet[1].

— Bon, si vous passez tout votre temps en discussion, vous n'avancerez pas ! remarqua Mlle Debrie.

Ce qui était une façon de désamorcer le conflit
naissant.

Camille me sourit pour m'encourager et me tendit le texte. J'eus le malheur d'affirmer :

1. Une gifle.

— Ce n'est point utile, je le sais par cœur pour l'avoir travaillé et appris avec la jeune Marie d'Aubeterre.

— Oh, ce que l'on joue dans son particulier[1] n'a rien à voir avec le théâtre, m'asséna Mlle Vignerelle.

Je me mordis la lèvre. Cette dame ne m'aimait point. Je me promis de tout tenter pour l'amadouer. Je n'avais point envie d'avoir une ennemie dans la troupe.

— Vous avez raison, répondis-je, je vais la lire et écouter vos conseils.

J'avais si peur de ne pas être à la hauteur de ce que l'on attendait de moi que je butai sur plusieurs mots. Armande fit la moue, mais Camille posa une main sur mon épaule.

— Tu sais le texte, reconnut-elle, cela se voit, et par chance, tu n'as aucun de ces accents de province dont il est si difficile de se départir. Alors ne sois pas crispée et ne cours point si vite au bout de la tirade. Nous ne sommes pas là pour te juger, simplement pour t'aider.

— Joue-nous la pièce comme tu as joué les fables de La Fontaine chez Mme de Montgilbert, c'était parfait, ajouta Mlle Debrie l'aiguille à la main.

1. Dans l'intimité, pour soi-même.

Encouragée par ce compliment, je recommençai, imaginant que Marie me donnait la réplique.

— C'est mieux ! admit Camille.

— Il faut accentuer le côté comique de la situation. Tu es trop sérieuse. Trop... timorée. Ce rôle exige de la fantaisie, critiqua Mlle Vignerelle.

— Vous... tu as raison. Pouvons-nous recommencer ?

Je mis dans ce rôle toute la fantaisie dont j'étais capable.

— Voilà ! Tu y es presque ! s'enthousiasma Camille.

Presque ? Il m'avait semblé que j'étais parfaitement dans le ton.

— Il faut maintenant apprendre à te mouvoir, intervint Mlle Vignerelle. Sur une scène, on ne reste pas plantée comme un piquet en débitant son texte. Il faut marcher, regarder tantôt le public, tantôt son partenaire, savoir s'asseoir avec aisance, se lever, bouger la tête, les bras, rire, pleurer, crier, chuchoter...

— Ce n'est pas très difficile, coupa Camille. Baron, qui fait les mises en scène, a indiqué dans la marge tout ce qu'il attend de nous. Nous allons t'expliquer le sens de chaque signe, et lorsque tu les connaîtras, tu te débrouilleras aussi bien que nous.

— C'est vite dit. Nous, il y a dix ans que nous travaillons avec Michel ! Elle ne peut pas être parfaite en deux jours ! s'insurgea Armande.

— On ne lui demande pas la perfection, reprit Mlle Debrie, seulement d'assurer le mieux possible le remplacement de Françoise pendant sa maladie.

La nuit tomba alors que nous rejouions la pièce pour la dixième fois au moins. Mlle Debrie, qui s'était accordé le privilège, après avoir ravaudé un grand moment, d'interpréter son rôle assise sur le coffre, se leva, s'étira et nous annonça :

— Hou ! Je n'en peux plus. Je descends dans la salle me dégourdir les jambes, manger et boire.

— Je te suis, ajouta Mme Armande. J'ai assez donné de mon temps à Mlle Olympias et bien mérité un moment de détente.

Dès qu'elles furent sorties, Camille me dit :

— Ne prends pas ombrage de l'humeur d'Armande. Elle n'est pas méchante, simplement un peu aigrie. Elle a longtemps joué les rôles de jeune première sur la scène comme dans la vie, trompant son mari avec effronterie. L'âge venant, les rôles se sont inversés. Baron m'attribue les rôles de demoiselle et son mari s'est transformé en coureur de jupons. Ta venue excite donc sa jalousie.

— Mais c'est le thème d'une comédie que tu me contes ! m'étonnai-je.

— Si fait ! La comédie, c'est la vie, et la vie est parfois aussi étrange qu'une comédie.

Je souris.

— Veux-tu descendre te restaurer ?

— Je n'ai pas faim. Et j'ai encore tant de travail ! Mais vas-y, toi.

— Non, je vais t'aider. Commençons à revoir *Le Cid*. Demain matin, il faudra présenter les deux pièces à Baron. Il est très exigeant. C'est grâce à sa ténacité que notre troupe existe encore quand beaucoup d'autres, à cause de leur manque de sérieux, ont été dissoutes.

À mon tour, je posai une main sur son bras.

— Merci, Camille, sans vous... sans toi, je n'y serais jamais arrivée !

Elle serra ma main et ajouta :

— Eh bien, nous voilà amies à présent, unies par la passion du théâtre !

Poussée par la curiosité, je la questionnai :

— Il y a longtemps que tu exerces cet art ?

— Depuis toujours. Mon père était comédien. Pendant dix ans, il a joué avec Molière dans tous les villages de France. Ma mère était la fille d'un aubergiste rencontrée lors d'une halte. Par amour, elle l'a suivi dans tous ses déplacements. J'ai fait mes premiers pas sur les tréteaux et j'ai joué ma première scène à dix ans. Et toi ?

— Oh, moi... Je ne me souviens pas de mon enfance. Je suppose qu'un drame a effacé de ma mémoire tous mes souvenirs...

— Ma pauvre amie..., me plaignit-elle en m'entourant les épaules de son bras.

Sa sollicitude me fit du bien. Mais, afin de ne pas perturber la soirée par une note triste, j'ajoutai :

— J'ai ensuite passé toute ma vie dans la Maison Royale d'Éducation de Saint-Cyr. C'est là que, grâce à la pièce de M. Racine, j'ai goûté au théâtre.

— Et le théâtre t'a sauvée !

— En effet, comme il a sauvé Marie.

Lorsque Mlle Vignerelle et Mlle Debrie montèrent pour se coucher, nous étions toujours en train de travailler. Armande soupira comme si elle considérait que nous nous fatiguions inutilement et Mlle Debrie nous invita à nous reposer.

— Nous ne sommes pas encore tout à fait au point, argua Camille.

Je lui sus gré de ne pas me mentionner comme unique coupable, alors qu'en fait, je l'étais. Les autres comédiennes ne firent aucun commentaire. Mlle Vignerelle aurait-elle renoncé à ses sarcasmes ?

Afin de ne pas troubler leur sommeil, nous sortîmes répéter dans les écuries. Là, à la lueur d'une chandelle, dans l'odeur du foin et des chevaux, nous reprîmes encore et encore les répliques d'Elvire.

Camille, avec patience, me montra comment respirer, comment déclamer mon texte, comment me tenir, comment bien transmettre la colère, l'indignation, la peur. Moi qui croyais tout connaître du théâtre après avoir joué *Esther* sous les ordres de M. Racine, je m'aperçus que je savais fort peu de choses !

Et dire que j'avais cru pouvoir enseigner le théâtre à Marie ! J'eus honte d'avoir été un si piètre professeur. Penser à elle me serra le cœur.

Il devait être environ quatre heures après minuit, lorsque Camille m'annonça :

— C'est assez pour l'instant. Il nous reste deux heures de sommeil avant que Baron nous réveille pour de nouvelles répétitions.

Nous nous glissâmes dans la chambre.

Mlle Debrie et Armande dormaient dans un lit, l'autre était donc pour Camille et moi, ce qui me combla. J'aurais eu beaucoup de mal à partager la couche de Mlle Vignerelle.

CHAPITRE
21

Un coq chanta dans une ferme proche, mais j'étais déjà réveillée. Malgré la fatigue et l'émotion, un trop-plein de péripéties m'avait empêchée de plonger dans un sommeil réparateur et je n'avais dû m'assoupir que quelques minutes.

Nous nous levâmes et nous attifâmes rapidement avec les vêtements que nous avions empilés la veille sur le coffre. Nous n'échangeâmes pas un mot. Je suppose que, comme moi, mes compagnes étaient préoccupées par la prochaine répétition devant Baron. Camille m'aida à serrer mon corps, je fis de même pour le sien comme si ce geste nous était coutumier. Nous n'eûmes pas le temps de nous rafraîchir ni le visage ni la bouche. Il n'y avait d'ailleurs pas de cruche d'eau dans la pièce. Cela me gêna. C'était une habitude prise à Saint-Cyr et qui m'était devenue indispensable.

Un sifflement strident attira Mlle Debrie à la fenêtre qu'elle ouvrit.

— Répétition dans le champ, derrière l'auberge ! cria Baron.

Nous nous y rendîmes. Le jour commençait juste à poindre. Une brume légère montait du champ et je frissonnais en marchant dans l'herbe perlée de rosée.

Les messieurs qui y étaient déjà arrêtèrent leur conversation pour nous saluer. Roman s'inclina devant moi et déclama, parodiant une poésie de M. Ronsard[1] :

— Voici la mignonne au teint de rose à peine éclose...

C'était charmant, mais je n'étais point habituée à ce badinage. J'avais lu l'*Ode à Cassandre* dans la bibliothèque de M. d'Aubeterre et je savais ce que conseillait le poète à sa mie... J'en rougis.

Dupuis ajouta à mon trouble en lançant d'un ton sarcastique :

— Voyez donc le poète qui s'est trouvé une muse !

— Le moment est mal choisi pour conter fleurette[2] ! coupa Baron, agacé.

---

1. Pierre de Ronsard (1524-1585), « Mignonne, allons voir si la rose... », Odes, I, 17.
2. C'est de cette expression que vient le mot actuel « flirter ».

Puis il s'adressa à moi :

— As-tu bien appris tes rôles ?

— Je le crois.

— Alors, on commence par *Les Précieuses ridicules*. Imaginons que les spectateurs sont de ce côté-ci. Vous entrerez par là.

Il frappa dans ses mains et Du Croisy fit son entrée.

Je jouai ma partie du mieux que je le pus.

Roman avait un talent comique certain et je devais faire un effort pour ne point rire de ses mimiques lorsqu'il était face à moi. De temps à autre, il m'indiquait d'un geste discret l'endroit où me placer et il me souffla même le début de ma réplique que, distraite par ses grimaces, je tardais à prononcer.

Baron m'interrompit plusieurs fois :

— Non ! Tu dois être plus près de Mascarille lorsque tu lui parles. Ensuite, éloigne-toi. Et puis articule mieux.

Chaque fois que l'on rejouait la scène à cause de ma mauvaise prestation, la honte me submergeait. Qu'allaient penser les autres de moi ? Que Baron n'aurait jamais dû venir me chercher ? Que je n'avais pas l'étoffe d'une comédienne ?

Aucun ne fit de commentaires. Ils reprenaient la scène sans se plaindre. Camille m'adressait de petits signes d'encouragement et Roman s'approcha un moment de moi pour me réconforter :

— T'inquiète pas, Baron teste simplement ta résistance. Il a fait ça pour chacun de nous.

Je le remerciai d'un souris et reprit une nouvelle fois la scène avec un regain d'ardeur.

— Eh bien voilà, cette fois c'est correct ! s'enthousiasma Baron.

Le soleil était déjà haut. Nous n'avions ni bu ni mangé et la chaleur commençait à m'incommoder, d'autant que je n'avais point de masque pour protéger mon visage. Mais je n'osais me plaindre. Mlle Debrie le fit pour moi :

— Mon cher Baron, voici plus de quatre heures que nous répétons, et si tu veux que nous tenions debout pour répéter *Le Cid,* une pause est nécessaire.

Baron bougonna mais céda :

— Dans vingt minutes, on reprend dans la grange, ainsi, mesdames, vous ne gâterez pas votre teint !

Il ne fut pas le dernier à se jeter sur la cruche de vin coupé d'eau et à engloutir de larges tranches de pain et de pâté de lièvre que l'aubergiste avait déposées sur la table autour de laquelle nous nous étions installés : les dames à une extrémité, les messieurs à l'autre.

Je n'étais pas habituée à boire du vin, ni à manger des mets aussi épicés. Mais, n'ayant presque rien avalé depuis la veille, j'avais faim et soif. Roman et Dupuis se livrèrent à une véritable joute de bons mots. Certains étaient fort crus, mais ne voulant pas faire preuve d'un excès de pudeur, je ris avec les autres. Habituée à la rigueur de Saint-Cyr, cette ambiance bon enfant où chacun laissait libre cours à sa fantaisie me plut. Je m'aperçus alors que je n'avais jamais ri. Vraiment jamais. À Saint-Cyr, il nous arrivait de sourire, seulement de sourire... À présent, après avoir vidé mon verre et mâché avec entrain le large pain gris et le pâté, j'éclatai de rire à la suite d'une plaisanterie délivrée par Roman.

— Ah, la voilà totalement des nôtres ! s'exclama-t-il, satisfait.

— Parce qu'elle rit à tes plaisanteries douteuses ? marmonna Mlle Vignerelle.

— Non, parce qu'elle a quitté son air effarouché.

— Et que tu espères ainsi lui faire la cour plus aisément, poursuivit Mlle Vignerelle.

Je restais sans voix sous l'insulte. M. Vignerelle vint à mon secours :

— N'écoutez pas le discours de mon épouse. N'ayant plus auprès des messieurs le succès que l'on a à vingt ans, elle se venge sur la jeunesse.

— Goujat ! s'insurgea son épouse en quittant la salle.

J'étais bien marrie du tour que prenait la conversation. Je me sentais, la minute auparavant, si à l'aise parmi eux ! Armande et son époux venaient de tout gâcher. Baron se leva, visiblement contrarié, et ordonna :

— On y retourne. Au moins lorsqu'on travaille, ces deux-là ne se chamaillent pas !

Les messieurs poussèrent quelques bottes de paille pour accroître la surface de notre scène et nous commençâmes à répéter *Le Cid.*

De toutes les pièces que j'avais lues, c'était ma préférée. L'amour contrarié entre Chimène et Rodrigue me bouleversait et je plaignais aussi sincèrement la malheureuse infante d'être amoureuse de Rodrigue qui la dédaignait. Camille jouait Chimène, Roman Rodrigue et je jouais Elvire, la gouvernante de Chimène.

Roman était parfait. Chaque fois qu'il était en scène, je l'observais. Je me persuadais que c'était pour mieux saisir son jeu et l'imiter, mais c'était faux. Roman m'attirait, et lorsque nos regards se croisaient, une étrange chaleur m'irradiait. Honteuse, je me détournais aussitôt... mais toujours, malgré moi, mes yeux cherchaient les siens.

J'espérais un jour être désignée pour le rôle de Chimène et avoir le privilège d'interpréter plusieurs scènes capitales avec lui. J'étais certaine d'être bonne avec un partenaire tel que lui. Et puis quelle jubilation de jouer l'amour alors que justement j'étais en train de découvrir ce sentiment !

Contrairement à ce que je craignais, Baron me fit peu de réflexion. Il me recommanda seulement de parler plus fort en portant plus haut ma voix. Il m'adressa même un compliment qui me fit rougir de plaisir :

— Olympias, tu es née pour la tragédie !

— Et je gage que, sous peu, c'est toi qui auras le rôle de Chimène, me souffla Roman en me frôlant.

Tout à coup, Baron s'écria :

— Seigneur, je n'ai pas vu le temps passer ! Dans deux heures, nous devons être au sud de Vichy chez Mme de Saint-Roch !

Aussitôt, les comédiennes se précipitèrent vers l'auberge. Je les suivis. Mlle Debrie entassa les vêtements et les accessoires dans trois grosses malles, les ferma et cria dans l'escalier :

— Venez prendre les malles !

Vignerelle et Dupuis les saisirent une par une par les poignées, les soulevèrent, rouspétèrent qu'elles pesaient autant que dix ânes morts et les descendirent par les degrés en les heurtant plusieurs fois contre le mur.

Dans la cour, une calèche en assez piteux état finissait d'être attelée à deux chevaux. Deux malles furent fixées à l'arrière, une troisième glissée sous les sièges, puis Mme Debrie, Camille Voinon et moi-même nous installâmes sur une banquette ; Vignerelle, son épouse et Maxence Dupuis nous firent face.

— Tout est prêt ? s'informa Baron avant de fermer la portière.

Ce devait être un rituel, car personne ne prit la peine de lui répondre. Roman n'était pourtant pas là, mais je n'osai pas le signaler. Baron monta à la place du cocher, fit claquer son fouet, et la voiture s'ébranla. Pendant tout le voyage, son absence m'intrigua et je me posai de nombreuses questions à son sujet.

CHAPITRE

22

Une heure trente plus tard, nous pénétrions en trombe dans la cour du château. Baron contourna le majestueux perron de pierre pour s'arrêter devant les communs. Nous descendîmes vitement de voiture et je m'aperçus que Roman avait fait le voyage à côté de Baron sur le siège du cocher. Il me sourit, comme s'il m'avait joué une bonne farce. Je ne lui rendis point son souris, fâchée de m'être préoccupée de son sort pour rien.

— Je vais me présenter à Mme de Saint-Roch et recevoir ses instructions, nous dit Baron.

Roman et Vignerelle détachèrent les malles et les portèrent à l'intérieur du bâtiment. Un valet leur désigna une salle et nous y entrâmes.

Chacun savait ce qu'il avait à faire et tout se passait sans qu'ils aient besoin de parler. Je suivais.

Mlle Debrie sortit des malles les vêtements, les chapeaux, les perruques, les éventails, les épées. Elle défroissa les étoffes, tapota un chapeau aplati, grogna qu'il lui manquait un jupon. Elle le retrouva dans le fond de la malle au moment où Baron revenait :

— Il y a une trentaine d'invités très impatients de nous entendre, nous annonça-t-il. Nous jouerons ce que nous avons prévu. Par contre, je viens d'apprendre que Mme de Saint-Florentin qui avait l'habitude de nous recevoir en sa demeure de Puy-Guillaume vient de quitter sa province pour paraître à la Cour. C'est fâcheux, car cette dame était généreuse et notre bourse est presque vide. Il nous faudra aller jusqu'au Puy en espérant que, là-bas, un gentilhomme nous ouvrira ses portes.

— Seigneur ! s'exclama Mlle Vignerelle, encore des lieues et des lieues par de mauvais chemins sans savoir si nous pourrons manger à notre faim et dormir sous un toit !

— Ah, que ne ferions-nous pas pour l'amour du théâtre ? déclama Roman, une main sur le cœur.

— Jouer devant une poignée de gens plus intéressés par les douceurs dont ils se régalent que par les vers que je prononce finit par me dégoûter du théâtre !

— Écoute, se fâcha Baron, je fais de mon mieux pour que la troupe vive. Mais si tu as de meilleures idées, je te laisse ma place, et crois-moi, elle n'est pas enviable !

Armande se renfrogna et se tut.

Quant à moi, l'inquiétude d'oublier mon texte, de ne pas être à la hauteur de mes partenaires, de ne pas parler assez distinctement me serra la gorge, me tordit le ventre et fit trembler mes membres. J'aurais voulu être à cent lieues de là, et en même temps, je n'aurais pas cédé ma place pour tout l'or du monde. Mes compagnes s'habillaient, se fardaient, collaient leur mouche au coin des lèvres, sur la joue ou le menton, se poudraient, débitant des passages de leur texte sans se soucier de moi. J'étais un peu perdue. Je ne m'étais jamais fardée. Je le fis, sans entrain, après les avoir observées. Je voulus mêler ma voix à la leur afin d'être à l'unisson, mais mon esprit était si perturbé qu'aucun vers ne me revint. Affolée, je me tournai vers Camille qui plantait une aigrette de plume dans sa perruque :

— J'ai tout oublié !

— Non, rassure-toi, c'est seulement une impression. Dès que tu seras devant le public, ton texte sortira de tes lèvres sans effort.

— Tu... tu es certaine ?

— Oui. Nous sommes tous passés par là.

Bientôt, Baron nous réunit en cercle au centre de la pièce. Nous nous prîmes par la main comme pour danser une ronde. Roman se plaça à mon côté. Nous nous serrâmes les uns contre les autres pour ne former qu'un seul bloc et Baron lança :

— Tous unis pour le théâtre ! Les cieux sont avec nous !

Les autres reprirent en chœur :

— Tous unis pour le théâtre ! Les cieux sont avec nous !

Ne connaissant pas encore le rituel, je répétai la phrase avec un peu de retard mais avec autant de ferveur.

Nous interprétâmes d'abord *Les Précieuses ridicules.* J'avais la gorge sèche et ma première réplique manquait de fermeté. Mais petit à petit mon angoisse fondit et, dès la fin de la première scène, le regard que j'échangeai avec Camille me prouva que j'étais dans le vrai de mon personnage. Les spectateurs s'amusèrent beaucoup et nous fûmes fort applaudis.

La maîtresse de céans nous accorda une pause pendant laquelle elle eut la courtoisie de nous proposer, comme à ses invités, des boissons et quelques friandises, mais aucun siège. Nous restâmes groupés dans un coin de la pièce, un peu figés, les doigts poisseux d'avoir saisi une pâte de fruits proposée par le valet.

J'étais assez mal à l'aise au milieu de ces gens de qualité qui nous observaient avec curiosité sans nous approcher. Nous n'étions après tout que des saltimbanques rejetés par l'Église.

La maîtresse de maison adressa bientôt un signe discret à Baron et nous regagnâmes la pièce voisine pour nous apprêter.

Baron, Vignerelle, Roman saisirent leur épée, Camille posa une mantille sur sa chevelure, je pris un éventail tout en me répétant à voix basse les premiers vers. Je tremblais un peu moins.

Au fur et à mesure du déroulement des scènes, voyant que tout se passait bien, je prenais de l'assurance. Dans la scène 1 de l'acte III, face à Rodrigue, je donnai le meilleur de moi. Roman me servait parfaitement le texte et je n'avais qu'à l'écouter pour que les répliques me viennent naturellement aux lèvres. C'était un Rodrigue parfait : beau, fier, sensible et amoureux. C'est, je crois, lors de cette représentation que je me rendis à l'évidence : j'aimais Rodrigue, enfin Roman. Mais Roman était Rodrigue comme Rodrigue était Roman.

À la fin de la pièce, nous saluâmes un public enthousiaste. Mme de Saint-Roch se leva, nous félicita et dit à Baron :

— J'ai une faveur à vous demander, mon cher maître.

Elle savait s'y prendre. Appeler Baron « maître », c'était lui forcer la main. D'ailleurs, il répondit :

— Elle vous est, par avance, accordée.

— Ma chère amie, Mme de Pontillac, est accablée par les soucis. Sa santé n'est pas bonne, son époux a dépensé jusqu'au dernier denier pour équiper une armée et partir à la guerre. Elle a besoin de se changer les idées. Aussi, j'aimerais que vous alliez jouer *Le Cid,* sa pièce préférée, pour elle seule, dans sa demeure de Thiers.

— Certainement, madame.

Il avait acquiescé à contrecœur, car jouer sans perspective d'une bonne rétribution n'arrangeait point les affaires de notre troupe. Mme de Saint-Roch le comprit et elle ajouta :

— Puisqu'il s'agit d'une surprise, un cadeau en quelque sorte, c'est moi qui vous paierai.

— Oh, madame, reprit Baron faussement offusqué, seul notre art nous importe !

— Certes... mais il faut bien vivre, n'est-ce pas ?

— Madame est toujours fort généreuse avec les comédiens, répondit Baron en s'inclinant.

Nous nous retirâmes dans la pièce voisine où nous nous activâmes pour ôter notre fard, nos perruques, ranger les accessoires et nos vêtements dans la malle.

— Tu t'es bien débrouillée, me dit Baron.

— Merci. J'ai fait de mon mieux.

— Hou là ! s'exclama Roman, pour que Baron te félicite, c'est qu'il a envie de te garder dans la troupe.

— Oui. Tu m'as impressionné dans Elvire et tu n'étais pas mauvaise du tout dans le rôle de Magdelon. Les comédiennes qui peuvent jouer du tragique et du comique ne sont pas nombreuses.

— Tu ne vas tout de même pas renvoyer Françoise ? s'indigna Mlle Vignerelle.

— Non. Dès qu'elle sera guérie, elle reprendra sa place... Et si nos affaires marchent bien, on gardera aussi Olympias.

C'est ce que j'espérais de toutes mes forces. Pourtant, j'avais la cruelle impression d'être coupée en deux : une part de moi voulait à tout prix vivre avec les comédiens et l'autre regrettait de s'éloigner de Marie.

Un valet entra et tendit une bourse à Baron :

— De la part de Mme de Saint-Roch.

Baron la soupesa, sourit, sans toutefois oser l'ouvrir devant le valet.

— Si vous le souhaitez, reprit ce dernier, Madame vous autorise à dormir dans la grange. Elle vous fera porter une collation et du foin pour vos chevaux.

Baron accepta, remercia et, quelques minutes plus tard, je me laissai tomber sur un tas de paille, vaincue par l'émotion et la fatigue.

CHAPITRE
23

Je m'endormis sans m'en apercevoir.

Une ombre s'avança, menaçante. Je voulus crier, mais aucun son ne sortit de ma gorge. Par contre, une voix féminine, toujours la même, hurla. Je courus me cacher. Des hommes se disputèrent violemment. Plusieurs coups de feu partirent... Une mare de sang s'élargissait à mes pieds...

Je me réveillai en sursaut, haletante. Où étais-je ?

Le crissement de la paille sous mon poids me rappela à la réalité. Un faisceau de lune se glissant par un trou de la toiture me permit de distinguer mes compagnes assoupies autour de moi dans des postures plus ou moins impudiques. Je rabattis vitement ma jupe sur mes mollets découverts.

À quelques pas de nous, les hommes dormaient et ronflaient, la chemise ouverte, les chausses mal fermées, sans chaussures. Choquée par tant de désinvolture, je détournai le regard. Mon éducation ne m'avait pas préparée à ce genre de situation, et j'eus honte tout à coup. Est-ce que mon amour du théâtre justifiait que je me trouve comme une vulgaire servante à dormir dans la paille avec des compagnons que je connaissais à peine ? Que penseraient mes amies de Saint-Cyr si elles me voyaient ? Que je vendais mon âme au diable ?

Il me fut impossible de me rendormir.

Je me levai sans bruit dans le dessein de marcher un peu dehors. Je poussai la porte de la grange qui grinça abominablement, mais personne ne s'éveilla. La lune pleine éclairait le parc. L'air était doux. Machinalement, je tapotai ma jupe pour la défroisser, je rajustai mon bustier, tirai mes bas, et j'ôtai de ma chevelure tous les brins de paille qui s'y étaient plantés. Malgré moi, je souris. Encore mon éducation ! Il fallait qu'en tout lieu et en toute circonstance je sois impeccable, comme les dames de Saint-Louis nous l'avaient inculqué.

Mon esprit se mit à vagabonder.

Pourquoi cet abominable cauchemar venait-il à nouveau hanter mes nuits ? Était-ce une façon de m'indiquer que je n'étais point à ma place dans cette troupe ? Sans doute pas puisqu'il venait aussi me visiter lorsque j'étais à Saint-Cyr. Alors ? Il me parut que tant que je n'en aurais point saisi le sens, il ne me laisserait pas en repos.

Pour l'oublier, je pensai à ma douce Marie. Cette enfant méritait de connaître le bonheur. Je savais que ce serait difficile, elle était si sensible, si fragile. Si son père la mariait contre son gré, elle risquait de se laisser dépérir, et s'il la mettait dans un couvent, je craignais que ce ne fût pas mieux. Mais y avait-il une troisième solution pour une demoiselle bien née ? Assurément, pas le théâtre. Et pourtant, c'était le seul moyen de la rendre heureuse. Peut-être, plus tard, pourrais-je la faire engager dans notre troupe ?

J'avais progressé dans le parc et je m'étais assise sur un banc de pierre pour poursuivre mes réflexions lorsqu'un bruit de pas me fit sursauter.

— Qui va là ? demandai-je d'une voix tremblante.

La question était sotte, parce que s'il s'agissait d'un malandrin décidé à attenter à ma vertu, il n'allait point me répondre.

— Ne crains rien, c'est moi, Roman.

— Vous ? Euh... tu ne dors donc point ?

— Eh non, puisque je suis là ! s'esclaffa-t-il.

Soulagée et amusée par sa réplique, je ris à mon tour. C'était la deuxième fois que je riais. Grâce à lui.

— Le rire te sied à merveille ! prétendit-il.

Je rougis en espérant que, la nuit aidant, il ne décèlerait point mon trouble.

— Jusqu'à ce que j'entre dans votre troupe, j'ai fort peu eu l'occasion de rire.

— Pourtant, lorsque, avec ta sœur, vous avez récité les fables, j'avais deviné entre vous une complicité digne des meilleurs fous rires !

— Marie n'est point ma sœur, mais j'aurais aimé qu'elle le fût. C'est grâce à elle que j'ai pu quitter la Maison Royale d'Éducation de Saint-Cyr où l'air était devenu si pesant à force de prières que j'y aurais péri d'ennui.

— Tu es fille unique ?

— Fille unique et orpheline ! J'ai été élevée par les dames de Saint-Cyr.

— Mazette ! Alors, tu es demoiselle de qualité, avec un nom à particule, un château, des terres et des fermiers qui travaillent durement pour payer tes robes et tes bijoux !

Je sentis au ton soudain agressif de sa voix qu'il n'appréciait guère les gens de la noblesse. Je m'empressai de le détromper :

— Faux ! Je suis aussi pauvre que Job et je n'ai même pas de dot ! Et toi qui es-tu ?

— Moi, je ne suis pas né avec une cuillère en argent dans la bouche !

— Pour faire du théâtre, cela ne t'aurait servi à rien.

— Certes. Mais je n'ai pas toujours été comédien. Avant j'étais... j'étais crève-misère... Mes parents étaient, comme tous les pauvres gens qui travaillent de leurs mains, si accablés d'impôts que lorsqu'ils avaient réussi, par miracle, à tout payer, ils ne pouvaient plus manger... Ils avaient huit enfants. J'étais l'aîné et...

Il soupira et des rides se formèrent sur son front comme s'il faisait un effort pour effacer un mauvais souvenir.

— Ne parlons plus de ça, proposa-t-il. Le passé est le passé. À présent, je ne vis que pour le théâtre.

— Moi aussi.

— Alors nous sommes faits pour nous entendre.

Il me saisit la main et la serra délicatement. Ce geste me fut aussi doux que s'il s'était agi d'un baiser.

CHAPITRE
24

Je dormais à poings fermés lorsque Camille me secoua pour me réveiller :

— On s'en va !

L'aube pointait à peine. J'avais dû dormir deux ou trois heures. Les autres étaient déjà debout, prêts à partir. Qu'ils me vissent dans l'état d'abandon que procure le sommeil me désobligea. Je devais être échevelée, le visage marqué par le sommeil, les vêtements froissés.

— C'est Roman qui nous a recommandé de ne te réveiller qu'à la dernière minute. Il paraît que ta nuit a été courte, persifla Mlle Vignerelle.

Il y avait un sous-entendu malséant dans ses propos et je crus bon d'expliquer :

— Je ne suis pas habituée à dormir dans la paille et...

— Il faudra pourtant t'y faire, car les lits à baldaquin, la soie et le velours ne sont pas pour nous... à moins que tu ne déniches un riche protecteur ! Certains aiment s'encanailler avec une comédienne jeune et jolie, prête à tout pour un peu de confort.

Je rougis.

À cet instant, Roman entra dans la grange un linge humide à la main. Il revenait sans doute de se laver à la rivière proche. Ayant saisi la fin de la conversation, il se planta devant Armande et protesta :

— N'attribue pas aux autres tes vils sentiments !

La comédienne accusa le coup et tourna les talons sans ajouter un mot.

Roman me tendit le linge et me dit en souriant :

— L'eau est fraîche, mais on se sent ensuite en état de faire le tour de la Terre !

Lorsque je me retrouvai dans la calèche, ballottée et secouée par les chaos des chemins, son optimisme m'amusa car, visiblement, la vieille voiture de la troupe n'était pas assez résistante pour faire le tour de la Terre. Au contraire, à chaque soubresaut, je craignais qu'un essieu ne se rompe et que nous ne versions dans le fossé.

Trois jours plus tard, nous étions à Thiers. Baron suivit les indications fournies par Mme de

Saint-Roch et, à la sortie de la ville, il engagea la voiture sous un porche majestueux quoique entièrement mangé par le lierre, puis il remonta une allée. Les branches basses des arbres qui n'étaient pas taillés frottèrent sur le toit de la voiture. J'entendis grogner Roman, égratigné par une ronce.

Puisqu'il n'y avait point d'invités, aux dires de Mme de Saint-Roch, Baron arrêta la calèche devant le perron. Un valet vint au-devant de nous. Baron se présenta et demanda à être annoncé. Pendant ce temps, nous descendîmes de voiture. Mlle Debrie, les deux mains appuyées sur le bas du dos, se plaignit :

— Être secouée ainsi, ce n'est plus de mon âge !

— Tu as raison ! reconnut Dupuis, d'ailleurs Baron a décidé de te laisser à l'hospice. Tu auras tout le temps de t'y reposer en buvant des tisanes !

— Il a dit ça ! s'insurgea Mlle Debrie, après tout le mal que je me donne !

— Mais non, je plaisante ! la rassura Dupuis.

Je me serais bien plainte aussi, car j'avais le dos moulu, le cou cassé et les jambes ankylosées. Mais Roman vint vers moi et s'informa :

— Ça va ?

— Parfaitement ! mentis-je pour lui faire bonne impression.

Déjà, Vignerelle et Dupuis sortaient les malles et les acheminaient à l'intérieur.

Baron revint et nous annonça :

— Mme de Pontillac a été surprise par notre arrivée, mais aussi très heureuse car elle apprécie beaucoup le théâtre. Deux de ses amis sont à son chevet. Nous jouerons dans sa chambre vers les trois heures de relevée. Elle a donné des ordres en cuisine pour qu'on nous prépare une collation.

— Voilà d'excellentes nouvelles ! se réjouit Roman. J'ai une faim de loup !

Lorsque nous pénétrâmes dans la cuisine, une grosse femme, le visage rougeaud, un tablier maculé de graisse lui enserrant les hanches, s'exclama, un large sourire aux lèvres :

— Z' arrivez à point !

Deux marmitons s'affairaient, l'un autour du potager, l'autre près de la cheminée.

— Depuis que madame est malade, je ne cuis que des potages d'herbes[1] et des bouillons de volaille sur les ordres de son médecin. Mais ce jour d'hui comme elle avait de la visite, j'ai mis deux volailles à rôtir. Il m'en reste une. Elle sera pour vous ! À ce qu'il paraît, vous seriez comédiens ? ajouta-t-elle le regard brillant d'intérêt.

— Si fait, lâcha Roman.

— Ah, le théâtre, j'y suis jamais allée, mais vrai, ça me plairait !

---

1. Légumes verts.

— Alors, je vous y invite. Vous trouverez bien derrière une porte entrebâillée le moyen de suivre la pièce. Et même, tenez, je ne jouerai tantôt que pour vous.

Roman s'était approché de la cheminée où une énorme marmite, suspendue à la crémaillère, pendait au-dessus du foyer en laissant échapper des volutes de fumée odorante. Il saisit un linge posé sur la table et, sans façon, souleva le couvercle.

— Ho là, polisson, s'interposa la cuisinière en donnant un coup de louche sur la main de Roman, vous n'allez tout de même pas dévorer tout ce qui est en train de cuire !

— C'est que nous avons grand-faim ! affirma Roman en roulant des yeux comme s'il était un loup guettant sa proie.

Les marmitons éclatèrent de rire et la cuisinière ne fut pas en reste. J'avoue que les pitreries de Roman m'amusaient.

Prenant un air misérable, Dupuis vint à la rescousse et ajouta :

— Toujours sur les routes et les chemins, nous ne mangeons pas souvent à notre faim.

— Tu oublies de dire, mon ami, que la nourriture que l'on nous propose est parfois si infecte que nous la refusons plutôt que de mourir empoisonnés.

— Alors que chez vous, madame, on sent, au fumet qui se dégage des marmites, que vous êtes une excellente cuisinière.

Les fripons ! Ils se relayaient tous les deux pour amadouer cette brave femme afin qu'elle les servît en abondance. Ils y réussirent car, flattée, la cuisinière nous dit :

— Asseyez-vous autour de la table. Vous ne mangerez point dans de la vaisselle d'or, mais vous aurez le ventre plein de bonnes choses.

Nous dînâmes fort bien.

Nous remerciâmes la cuisinière et les marmitons, puis nous filâmes dans la pièce qui nous avait été attribuée pour nous préparer.

Lorsque nous fûmes fardés, coiffés, habillés, Baron pénétra dans la chambre de Mme de Pontillac pour savoir si nous pouvions commencer. Il revint, un rien agacé :

— Mme de Pontillac souhaite que je vous nomme avant le spectacle, car elle craint de s'endormir avant la fin.

— S'endormir avant la fin ! Voilà qui est encourageant ! grogna Armande.

— Il faut lui pardonner, elle est souffrante... et elle veut nous présenter un gentilhomme de ses amis qui souhaite recruter une troupe afin d'assurer un divertissement en sa demeure. Du travail pour nous en perspective !

— Entrez, entrez ! nous dit la maîtresse des lieux d'une voix chevrotante.

Mme de Pontillac était allongée dans son lit, le dos soutenu par plusieurs carreaux de plumes. Dans la ruelle de son lit, deux gentilshommes étaient assis dans des fauteuils.

Nous nous alignâmes. Baron nous nomma. La gente féminine fit une petite révérence. Les comédiens s'inclinèrent, sauf Roman qui se distingua. D'un ample geste du bras, il balaya le sol avec les plumes de son chapeau, ce qui fit naître un souris sur le visage émacié de la malade.

— Je vous remercie de bien vouloir jouer pour moi cette pièce que j'aime tant. Et je remercie aussi ma très chère amie Mme de Saint-Roch de m'offrir ce plaisir.

Elle soupira comme si, après ce petit discours, l'air venait à lui manquer.

— Ne vous fatiguez point, lui recommanda le plus jeune des gentilshommes.

Mme de Pontillac leva la main pour signifier qu'elle avait encore assez de force pour s'exprimer, puis, désignant le plus âgé des deux : un gentilhomme ventripotent, richement vêtu, la perruque volumineuse et parfaitement poudrée, elle s'adressa à Baron :

— J'ai l'avantage de vous présenter M. de La Guette, lieutenant général du bailliage d'Orléans.

Il donne prochainement une fête en son domaine pour l'anniversaire de son épouse et aimerait assez du théâtre.

Lorsqu'elle prononça : « lieutenant général du bailliage d'Orléans », les mots frappèrent si violemment mon esprit qu'ils y provoquèrent comme une résonance. Un vertige me saisit et je me raidis de tout mon être pour ne point tomber. Je cherchai de la force auprès de mes compagnons et je vis nettement Roman, qui me faisait face, pâlir à son tour, se décomposer même et détourner la tête vers la fenêtre pour cacher son état.

— C'est un grand honneur pour notre troupe, Monsieur le lieutenant général, que de jouer pour Madame votre épouse, annonça Baron.

— J'attends de vous voir dans *Le Cid* pour vous engager, répondit M. de La Guette du bout des lèvres.

— Vous serez content. C'est une pièce que nous connaissons bien. Mais nous pouvons interpréter n'importe quelle autre œuvre selon votre bon vouloir.

Nous regagnâmes la pièce contiguë au salon afin d'y préparer nos entrées.

J'étais troublée. Pourquoi le titre de lieutenant général du bailliage d'Orléans m'avait-il tant frappée ? Il me parut, avec le recul, que ce terme m'était familier. Cependant, je ne me souvenais point l'avoir ouï à Saint-Cyr. Peut-être durant mon enfance ? Était-ce enfin un pan de ma mémoire qui me revenait ? Mais alors pourquoi ce malaise ? Serait-il dû à la joie de recouvrer des bribes de mon passé ? Pourtant ce n'était pas la joie qui m'habitait, mais bien plutôt une angoisse sourde et indéfinissable.

N'était-il point curieux que Roman ait, lui aussi, éprouvé une sorte de malaise presque en même temps que moi ? Étions-nous déjà si proches par la pensée que la vue de mon émoi ait provoqué le sien ? Quelle plus belle preuve que nous étions faits l'un pour l'autre pouvais-je espérer ?

Un peu à l'écart, il tentait de glisser son épée dans son fourreau d'une main qui tremblait. Je m'approchai et je l'interrogeai :

— Serais-tu souffrant ?

Surpris, il me répondit évasivement :

— Non, non.

— Il m'avait semblé que...

— Puisque je te dis que je vais bien, me rabroua-t-il.

Je m'étais si peu attendue à cette rebuffade que je restai plantée devant lui, les larmes me montant aux yeux. Il s'en aperçut et, s'adoucissant, il ajouta :

— Un peu de fatigue, peut-être, ne t'inquiète pas.

Sa réaction me laissa à penser que je m'étais entièrement trompée. Il n'avait pas vu mon trouble, et le sien n'avait aucun rapport avec le mien. Mais alors qu'est-ce qui l'avait provoqué ?

Baron nous réunit bientôt et, comme à l'accoutumée, nous fîmes un cercle et nous prononçâmes ensemble la phrase destinée à conjurer le mauvais sort :

— Tous unis pour le théâtre ! Les cieux sont avec nous !

J'avais serré fortement la main de Roman pour le réconforter, ce qui était un geste d'une effroyable audace. Je m'attendais à ce qu'il me répondît par une pression identique, comme un signe de connivence et même, oserais-je l'avouer, d'amitié amoureuse. Il ne le fit pas. Le doute m'envahit. Mes sentiments n'étaient-ils donc point partagés ? Je l'avais pourtant cru.

Nous jouâmes *Le Cid*. Je m'appliquai du mieux que je pus à être une Elvire attentive.

Roman n'était pas du tout le Rodrigue des répétitions. Il bredouilla plusieurs fois, oublia des vers. Je parvins à lui en souffler quelques-uns de derrière le paravent où je me tenais. Camille, de son côté, parlait plus fort qu'à l'accoutumée pour essayer de masquer la faiblesse de la voix de Roman. Baron qui jouait don Diègue lui lançait des regards furibonds.

Le résultat était désastreux.

Lorsque la dernière réplique tomba, Mme de Pontillac sembla s'éveiller et applaudit généreusement. Elle fut la seule, mais ne parut pas s'en apercevoir. Roman sortit précipitamment de la salle, nous laissant désemparés devant notre public mécontent.

— Vous nous avez déçus, décréta le plus jeune des gentilshommes.

— Oh, c'est une excellente pièce, marmonna Mme de Pontillac.

— Je vous supplie de bien vouloir excuser M. Roman, qui est, au demeurant, un excellent comédien. Il... il vient d'apprendre que... sa chère épouse est au seuil de la mort... et il a couru à son chevet.

— Le pauvre homme, bredouilla encore Mme de Pontillac.

Le lieutenant général du bailliage d'Orléans se leva et dit à Baron d'un ton pincé :

— J'ai assisté à des représentations de bien meilleure qualité. Je me passerai donc de vos services.

— Je comprends, monsieur, répondit Baron, rouge de honte sous le fard.

Et nous quittâmes la salle.

Dès que nous fûmes dans la pièce annexe, Baron jeta sa perruque à terre et laissa exploser sa colère :

— Mais que lui a-t-il pris ? Il a carrément sabordé la pièce ! Où est-il ? Où est-il passé que je lui dise ma façon de penser !

— Calme-toi, Baron, le supplia Mlle Debrie, inutile qu'on nous entende nous disputer, c'est mauvais pour notre réputation, déjà compromise.

Baron sortit en claquant la porte. J'ignore quelle force me poussa à le suivre discrètement, tandis que mes compagnes étaient occupées à ôter leur fard. J'avais envie de savoir ce qui tourmentait Roman afin de mobiliser toute ma tendresse pour mieux l'aider.

Roman était à l'écurie en train de préparer les chevaux à l'attelage. Je me cachais derrière un ballot de paille lorsque Baron l'apostropha vertement :

— À cause de toi, on manque une représentation qui nous aurait permis d'assainir notre trésorerie ! Tu veux notre mort !

— Je t'en conjure, n'emploie pas ce mot !

— Mais qu'est-ce qui t'a pris, ventrebleu !

Baron était dur envers Roman. Un moment j'eus envie de quitter ma cachette pour venir le réconforter, mais je ne bougeai point.

— Tu le sais très bien, reprit Roman.

— Moi ? Pas du tout.

— Le gentilhomme qui était là est lieutenant général du bailliage d'Orléans.

En entendant à nouveau le titre de ce gentilhomme, mon pouls s'accéléra.

— Et alors ?

— Ne me dis pas que tu as oublié ?

— Veux-tu parler de cette histoire vieille de plus de dix ans ?

Une histoire vieille de plus de dix ans ? J'avais donc sept ans... l'âge auquel j'étais entrée à Saint-Cyr. La sueur perla à mon front.

— Si fait.

— Écoute, Roman, lorsque tu es venu à moi pour me conter les circonstances qui t'avaient poussé à commettre ce méfait, tu avais dix-huit ans. J'ai accepté de te prendre dans la troupe avec un nom d'emprunt pour te soustraire à la police. Mais c'est la colère, la faim et la détresse des tiens qui sont les vrais coupables. Tu as seulement été le bras vengeur.

— Je sais tout ce que je te dois, Baron, et crois bien que je m'en veux... mais lorsque j'ai entendu « lieutenant général du bailliage d'Orléans »... j'ai vu son prédécesseur étendu dans une mare de sang... j'ai entendu les hurlements de sa femme et les cris apeurés de leur petite fille... Et...

Je m'écroulai sur le sol, privée d'esprit.

25

On frappe des coups violents à la porte. Je suis blottie dans un réduit sombre donnant dans le bureau de mon père, car nous venons d'entamer une partie de cache-cache.

— Ne les laissez pas entrer, Charles ! supplie ma mère, ils vont nous tuer !

— Mais non, ma mie, ils savent ce qu'il leur en coûterait de lever la main sur un représentant du Roi. Si je leur montre que j'ai peur, je n'aurai plus l'autorité nécessaire pour collecter les impôts. Attendez-moi dans le salon, je vais les recevoir.

Et puis le plancher tremble sous le piétinement des sabots, des injures fusent, des hurlements retentissent, des meubles sont renversés, la voix de mon père tonne, des coups de mousquets sont tirés. Ma mère hurle, une cavalcade s'ensuit dans les pièces attenantes, des ordres éclatent, puis le silence tombe.

Je colle mon œil sur une fente de la boiserie. Je ne vois rien. Je pousse doucement la porte. Les tableaux sont déchirés, les fauteuils éventrés, la table fracassée, et des flammes vives montent d'une pile de dossiers entassés sur le sol. Mon père, étendu sur le sol, gît dans une mare de sang. Je m'agenouille à son côté et je l'appelle :

— Père ! Père !

Il ne me répond pas. Mes yeux se brouillent de larmes. Je me lève pour appeler à l'aide. La fumée devient plus opaque et le feu se propage à présent aux tentures. J'aperçois alors un jeune paysan, une fourche à la main, prêt à franchir la porte.

— Fuyez, me dit-il, tout va flamber !

Il s'approche de moi et me tapote les joues...

— Olympias ! Olympias !

J'ouvris les yeux. Où étais-je ? Que s'était-il passé ? Ah, oui, mon père, assassiné par...

— Non ! Non ! criai-je.

— Là, là, calmez-vous, me conseille Camille.

Camille. La troupe. *Le Cid*. Baron. Brutalement, tout me revint.

— Ce n'est rien, vous avez eu un malaise, me dit Roman, penché sur moi.

Je levai les yeux vers lui et mes pupilles s'agrandirent d'effroi.

— Non ! Non ! Pas lui ! hurlai-je.

Stupéfait, il se redressa.

— Cette petite est épuisée. Nous avons trop exigé d'elle, avoua Baron.

Mlle Debrie poussa Roman pour l'éloigner de moi en lui assurant :

— Quelque chose ne va pas bien dans sa tête. J'espère que tu n'as pas profité de l'amitié que tu lui inspires pour abuser de sa vertu...

— Oh, mademoiselle Debrie ! s'offusqua Roman, mes sentiments pour elle m'obligent à la respecter.

— Alors tant mieux. D'ici quelques heures, tout rentrera dans l'ordre.

Non, c'était impossible. Tout n'allait pas redevenir comme avant.

Je venais enfin de saisir le sens des cauchemars qui hantaient mes nuits. Mon père avait été assassiné sous mes yeux par un groupe de paysans furieux de devoir payer la taille à leur lieutenant général. Et qu'était-il advenu de ma mère ? S'étaient-ils ensuite attaqués à elle ? J'essayai de fouiller dans mon esprit en détresse pour retrouver le souvenir de ma mère après le meurtre de mon père : impossible. La seule image qui me revint fut celle de la porte de la Maison Royale d'Éducation s'ouvrant devant moi. Une religieuse me tenait la main, et, lorsqu'elle la lâcha, une dame de Saint-Louis la prit en me disant doucement :

— Vous verrez, ici, vous oublierez vos souffrances.

Saint-Cyr avait jeté un voile sur mon passé, mais c'est le théâtre qui m'avait reconstruite.

Et à présent...

À présent, je me sentais complètement détruite. Anéantie. En recouvrant la mémoire, je m'apercevais que l'homme pour qui j'éprouvais de doux sentiments était l'assassin de mon père. Qu'avais-je fait aux cieux pour mériter pareil destin ?

Les vers de Chimène s'imposèrent à moi :

Pleurez, pleurez, mes yeux, et fondez-vous en eau !
La moitié de ma vie a mis l'autre au tombeau[1]...

Soudain, une évidence me fit trembler.

Il m'appartenait de venger mon père. Je ne pouvais pas laisser en liberté son assassin. Je devais le dénoncer pour qu'il fût livré à la justice. C'était l'ordre des choses.

Mais si Roman était arrêté, il serait jugé et condamné à la pendaison !

La tête me tourna, ma vue se brouilla et je perdis à nouveau connaissance.

Lorsque j'ouvris les yeux, j'étais allongée sur un sofa. Je supposai que mes compagnons m'avaient

---

1. *Le Cid*, Acte III, scène 3.

portée dans une pièce de la demeure de Mme de Pontillac. Mlle Debrie était à mon chevet et me tamponnait le front d'un linge humecté de vinaigre.

— Ah, la voilà qui reprend ses esprits ! s'exclama-t-elle à l'intention de Camille et d'Armande qui se tenaient près de la fenêtre.

J'aurais voulu ne jamais me réveiller. J'avais souffert de ne pas avoir de passé. Maintenant je souffrais en envisageant l'avenir qui ne pouvait être que sombre et cruel.

— Baron est allé quérir un médecin, m'annonça Camille.

— Ce n'est point la peine, c'est...

Je m'arrêtai. Leur divulguer le motif de mon état me parut une épreuve insurmontable. Et, après un instant d'hésitation, je terminai :

— C'est uniquement la fatigue. Je ne suis pas habituée à ce genre d'existence. Il me semble que si je pouvais dormir... dormir longtemps, j'irais mieux.

— Tu manques de santé, Olympias, affirma Armande, appartenir à une troupe itinérante ne te convient pas.

Baron et le médecin arrivèrent bientôt. Ce dernier me tâta le pouls, m'examina le blanc des yeux, jaugea l'épaisseur de ma langue, la pâleur de mon visage, et comme je me risquai à lui dire que j'étais fatiguée et que je souhaitais dormir, il conclut :

— Je vais vous faire préparer une infusion de valériane. Cela vous procurera le sommeil dont vous avez besoin.

Je bus le breuvage comme Socrate avait dû boire la ciguë le condamnant à mort.

Je n'avais plus rien à espérer de la vie et je souhaitais sincèrement m'endormir pour toujours. Ainsi, je n'aurais pas à choisir entre venger mon père en dénonçant Roman ou me taire et vivre avec la honte d'avoir manqué de courage pour le faire. Quant à mes sentiments pour Roman, je devais les arracher de mon cœur. Certes, le mieux serait de partir afin de ne plus avoir sous les yeux celui qui avait brisé ma vie... Mais cela serait d'une grande ingratitude à l'égard de Baron et de la troupe qui comptaient sur moi pour assurer les prochaines représentations.

Et puis partir ? Pour aller où ? Dans la demeure de M. d'Aubeterre ? Comment me recevrait-il après mon escapade ? Et comment m'accueillerait Joséphine ? Certes, je serais heureuse de revoir Marie, mais cette vie me semblait à présent si étriquée. Et puis, j'étais persuadée que Marie ne s'attendait pas à mon retour. Elle avait bien senti que nos chemins s'éloignaient à jamais. Retourner à Saint-Cyr me paraissait impossible. Quel conte me faudrait-il inventer pour expliquer mon départ de chez M. d'Aubeterre ?

J'étais complètement désemparée.

Fort heureusement, au bout de quelques minutes, le breuvage fit son effet. Une douce somnolence s'empara de moi. Je me surpris à espérer que la dose que l'on m'avait administrée serait mortelle et je me laissai glisser vers le néant avec béatitude.

CHAPITRE

26

Lorsque je m'éveillai, Camille, à genoux, priait à côté du sofa.

— Comment te sens-tu ? s'inquiéta-t-elle.

— Bien.

Je mentais. J'avais la tête en feu, la gorge sèche, et mes soucis qui étaient revenus en trombe dès que j'avais ouvert les yeux comprimaient ma poitrine.

— Dieu soit loué ! La fièvre s'est emparée de toi et tu étais si agitée qu'on a cru que tu allais passer[1].

Sa phrase me laissa à penser que j'avais peut-être, sans le vouloir, dévoilé ma vie et mes ennuis, livrant ainsi le coupable, mon amour pour lui et

1. Trépasser : mourir.

mes tourments. C'eût été une grande honte. Aussi, je m'enquis :

— Ai-je parlé dans mon sommeil ?

— Ah, ça, oui ! Tu n'as pas arrêté.

Mon sang se glaça. Pourquoi avait-il fallu que je me réveille ? Pourquoi n'étais-je point morte ? Je fermai les yeux.

— Non, non, reste avec nous ! m'ordonna Camille en me tapotant les joues.

— Qu'ai-je dit ? murmurai-je.

— Tu délirais. Rien n'était cohérent. Tu répétais sans cesse les mots de feu, sang, assassin, vengeance... Tu te croyais sûrement sur scène en train de jouer *Le Cid* ! Et tu étais très convaincante, ajouta-t-elle pour mettre une note d'humour dans le tableau noir qu'elle venait de dépeindre.

— J'ai dormi longtemps ?

— Vingt-quatre heures !

— Seigneur ! J'ai retardé tout le monde !

— Et toute la troupe t'en remercie ! Mlle Debrie apprend de nouvelles recettes avec la cuisinière du lieu, M. et Mme Vignerelle se content fleurette en se promenant main dans la main dans le parc, Dupuis et Roman ont disparu. Ils se distraient sans doute dans un cabaret de Thiers et Baron a tenu compagnie tout le jour à Mme de Pontillac qui est, d'après lui, une charmante vieille dame.

Je soupirai, soulagée. Au moins que mon malheur ne nuise pas à ceux qui m'avaient secourue.

À ce moment-là, Baron entra :

— À la bonne heure, la voilà réveillée ! s'écria-t-il.

— Je vous... te prie de bien vouloir m'excuser... je...

Il posa une main sur mon bras :

— Tu es tout excusée. C'est moi qui m'en veux d'avoir trop exigé de toi.

J'aurais pu leur livrer le véritable motif de mon malaise. Je n'en eus point le courage.

— D'ailleurs, ajouta-t-il avec malice, grâce à ton malaise, nous avons du travail !

— Voilà une excellente nouvelle ! se réjouit Camille.

Elle s'était redressée et, souffrant sans doute d'être restée trop longtemps agenouillée, elle se frotta le bas du dos.

— Tandis que je devisais avec Mme de Pontillac, un cavalier s'est fait annoncer. Il s'agissait d'un sien cousin originaire du Vivarais venu l'inviter pour le mariage de sa fille qui épousait un seigneur de Balaruc en son château de Boulogne. La maîtresse du lieu a eu la bonté de me présenter à ce gentilhomme en lui certifiant que nous avions joué *Le Cid* devant elle de la plus magistrale façon. Galamment, je ne l'ai pas contredite.

Malgré moi, la réplique de Baron m'arracha un souris.

— L'homme était si satisfait de ne point avoir à chercher une troupe de son propre chef qu'il m'a retenu d'emblée pour quatre représentations ! Et de plus, il paie grassement ! Si Olympias se sent mieux, nous partons sur l'heure. Il nous faut être sur place d'ici cinq jours, et les chemins jusque là-bas sont abominablement raides et cailouteux d'après la description que l'on m'en a faite.

Me retrouver face à Roman, lui parler, être son partenaire dans une pièce, l'approcher, le toucher, feindre l'amitié, l'amour pour lui sur une scène me parurent des obstacles infranchissables et je bredouillai :

— C'est-à-dire que...

— Ne te sens-tu pas assez de force pour poursuivre la route ? s'alarma Baron.

Sa sollicitude me toucha. Je ne pouvais pas le mettre dans l'embarras.

— Si, si..., ajoutai-je rapidement... c'est que j'ai peur de... de ne plus savoir jouer.

— Sottises ! Un petit malaise n'ôte pas le talent ! Car tu en as. Sans vouloir offenser Mlle Debrie, Mlle Vignerelle et toi, Camille, il faut bien avouer que tu les surpasses.

— C'est certain, approuva Camille. Depuis que tu es avec nous, il me semble que nous sommes meilleurs.

— Je suis content que tu le reconnaisses, dit Baron.

Contrairement à toute attente, cette avalanche de compliments adoucit un peu les douleurs de mon âme.

Et si le théâtre, encore une fois, me permettait de surmonter ma dramatique situation ?

CHAPITRE

27

Nous quittâmes la région de Thiers et traversâmes les monts du Forez. Les chemins étaient sinueux et malaisés, et nous avancions lentement.

Les comédiennes faisaient des efforts pour discourir de choses agréables ou gaies afin de me distraire de mes tourments. Parfois elles se taisaient pour me laisser somnoler à mon aise, pensant que le repos m'était salutaire. Je fermais alors les yeux.

Las, mes anciennes visions en profitaient pour revenir me hanter. À présent, elles étaient plus nettes puisque je voyais le visage de l'assassin et que c'était mon père qui se mourait sous ses coups. Alors je secouai la tête et proposai :

— Et si nous révisions nos textes ?

— Baron nous a recommandé de te ménager, dit Armande.

— Certes, mais n'allons-nous pas finir par nous ennuyer dans cette voiture ? Et lire une comédie, ce n'est point vraiment travailler, plaidai-je.

— D'autant que *Les Femmes savantes* que veut présenter prochainement Baron est une pièce fort drôle, ajouta Mlle Debrie.

Nous entreprîmes donc de la lire, puis de nous partager les rôles pour les apprendre. Ainsi, le temps passa plus agréablement.

Roman était, comme à son habitude, sur le siège du cocher à côté de Baron. Tant que je ne l'avais point sous les yeux, et que je me concentrais sur la pièce, je parvenais à enfouir ma souffrance dans un recoin de mon esprit et à faire accroire que j'allais bien.

Cependant, lorsque la côte était trop rude, Baron tapait sur le toit de la voiture pour nous inviter à mettre pied à terre afin d'économiser les chevaux.

Roman descendait aussi.

Je m'arrangeais pour être loin de lui mais dans les chemins étroits que nous gravissions c'était difficile, d'autant que mes compagnes qui, je le pense, avaient deviné nos sentiments, croyant me satisfaire, s'évertuaient à nous rapprocher.

C'était donc un bien curieux ballet. Je louvoyais sur la gauche pour marcher à côté de Mlle Debrie qui ralentissait le pas pour que Roman nous rejoignît. À cet instant, je forçais le mien pour arriver à la hauteur de Camille qui, étonnée, me donnait un coup de coude afin de me montrer la mine déconfite de Roman et m'encourager à aller vers lui.

La situation était intenable. Elle ne pourrait pas s'éterniser ainsi. Mes nerfs ne résisteraient pas à cette tension.

Alors que je cueillais quelques fleurs bordant le chemin afin de laisser à Roman le loisir de me dépasser, il s'arrêta à ma hauteur et me questionna :

— Que se passe-t-il ? Depuis ton malaise tu m'évites. Ai-je dit ou fait quelque chose qui t'ait déplu ?

— En effet, répondis-je du bout des lèvres.

— N'ai-je point été assez présent à tes côtés ?

— Non, au contraire.

C'était le moment. Je devais lui dire que je savais qu'il était l'assassin de mon père.

— Au contraire ? s'étonna-t-il. Tu aurais préféré que je ne me soucie pas de ta santé ?

— Oui.

— Alors là, c'est un comble ! s'emporta-t-il. Il est normal que je m'inquiète pour toi parce que je t'aime ! Je t'aime, entends-tu, Olympias !

Il avait haussé la voix et je vis Camille et Mlle Debrie se retourner vers nous en souriant.

Mes jambes se mirent à trembler et une bouffée de chaleur me monta au visage. Fallait-il qu'il me déclare sa flamme à cet instant précis où j'allais le rejeter ?

Il chercha à saisir ma main. Je dérobai la gauche derrière mon dos et, de la main droite, je serrai le bouquet que j'avais composé. Des larmes coulèrent sur mes joues et je bredouillai :

— Pas moi, Roman. Moi, je ne t'aime pas. Je te hais !

Je le laissai abasourdi sur le bord du chemin et j'employai mes dernières forces à courir vers la voiture et à m'y engouffrer pour cacher mon désespoir.

Camille m'y rejoignit et s'informa :

— Des ennuis avec Roman ?

— Euh... oui.

— Il est sans doute maladroit. Je crois bien que c'est la première fois qu'il tombe amoureux. Essaie d'être indulgente.

— Je ne le peux.

— Voyons, Olympias, toi aussi, tu éprouves un tendre sentiment pour lui, alors il ne faut pas tout détruire pour un geste ou un mot de trop.

— Il est trop tard, Camille. Il a tout détruit... et de si belle manière que jamais nous ne pourrons nous aimer.

Et je fondis en larmes dans les bras de mon amie. Elle eut la délicatesse de ne point exiger de moi plus d'explication. Et petit à petit, vaincue par les émotions et la fatigue, je m'endormis. C'est le cri de Baron sur son siège qui m'éveilla :

— Ho ! Ho ! disait-il aux chevaux qui hennirent et raclèrent du sabot sur le sol caillouteux.

— Comment te sens-tu ? s'inquiéta à nouveau Camille.

J'étais appuyée contre son épaule. Les autres, pour respecter mon sommeil, avaient dû s'abstenir de bavarder. Je les remerciai d'un souris et je répondis :

— Bien.

— Dormir permet de remettre les choses à la bonne place, pérora M. Vignerelle.

— Vous avez raison.

Le moment ne me parut pas encore venu pour leur exposer mes soucis.

— Nous voilà en Vivarais, expliqua Baron en descendant de son siège.

Le nom de la province me frappa et je répétai :

— En Vivarais ?

— Si fait. Très exactement sous les remparts d'Aubenas qui se situe à deux lieues de Boulogne où nous jouerons après-demain.

Un curieux sentiment d'apaisement m'envahit. Le Vivarais était la province de Charlotte. Elle nous en avait parlé avec tant de passion qu'il me semblait arriver dans un endroit béni des dieux. Je saisis l'occasion de faire diversion à ma douleur et j'enchaînai, presque volubile :

— Charlotte de Lestrange, l'une de mes amies de Saint-Cyr, était originaire de cette province. Elle a quitté notre maison assez précipitamment et je gage que c'était pour rejoindre François, son fiancé, dont elle était fort éprise.

— Ah, l'amour nous fait commettre bien des folies ! ajouta Dupuis.

Camille lui lança un regard furibond, jugeant avec raison que l'allusion était déplacée. Roman avait habilement sauté du siège de l'autre côté, évitant ainsi de paraître face à moi.

— Vous plairait-il de la revoir ? me demanda Mlle Debrie.

— Oh, oui... mais ce serait vraiment un miracle si cela se faisait.

— Nous allons prier en ce sens, conclut-elle.

Je ne sais pourquoi, mais je m'accrochais à l'idée que j'allais revoir Charlotte, que nous allions reprendre nos conversations comme autrefois lorsqu'elle nous contait les tourments qu'elle avait endurés en tant que huguenote convertie de force au catholicisme, et son amour pour son cousin François resté protestant. Elle aussi connaissait les affres des amours contrariées. Elle me comprendrait, me conseillerait, m'épaulerait, j'en étais certaine.

Le soir, avant de souffler la chandelle, Mlle Debrie, arguant sans doute de son âge et de son expérience, me dit :

— Une bonne explication vaut mieux que de mauvais sous-entendus. Cela vide le cœur de tout son fiel. Il peut ensuite s'emplir à nouveau de doux sentiments.

— Merci, je m'en souviendrai.

Ce n'était pas, après tout, un conseil inutile, sauf en ce qui concernait la deuxième partie. Mon cœur était plein de fiel, et si je le vidais, ce ne serait point pour le remplir de doux sentiments, mais seulement pour gagner la paix.

Je me promis de parler à Roman dès que l'occasion se présenterait. Ainsi, lorsqu'il saurait que je savais, il ne me déclarerait plus son amour. Car je lui cracherais mon mépris et ma haine au visage, lui assurant qu'un tel crime ne resterait pas impuni. En souvenir de notre amitié passée, je lui laisserais peut-être la possibilité de fuir aussi loin que possible. J'aurais ainsi la satisfaction d'accomplir mon devoir et de venger mon père sans toutefois avoir le remords de livrer un homme à l'échafaud. Il ne me resterait plus alors qu'à oublier ce meurtrier.

Le théâtre m'y aiderait.

Baron nous avait annoncé le matin même en quittant l'auberge où nous avions fait halte que

Mlle de Guérande, très affaiblie par la maladie, ne reprendrait probablement pas sa place.

— Mais le spectacle continue, avait décrété Baron, puisque Olympias est là ! Alors Mlle Olympias je te sacre comédienne en titre ! L'ensemble de la troupe m'avait gentiment applaudie. J'étais désormais totalement des leurs et c'était fort réconfortant. J'avais l'impression de m'être trouvé une famille ce qui, dans mon désarroi, m'était d'un précieux secours.

CHAPITRE
28

Las, entre nos désirs et la réalité, il y a souvent un gouffre... Et il est bien difficile de haïr lorsque l'on aime et aussi difficile d'avoir sous les yeux le meurtrier de son père sans défaillir, d'autant que Roman tentait l'impossible pour me reconquérir.

Au matin, en ouvrant la porte de la chambre, Armande buta sur un bouquet des dernières fleurs des champs.

— C'est certainement pour toi, me dit-elle, parce que ce ne sont pas dans les habitudes de Vignerelle de m'offrir des fleurs.

Je pris le bouquet et le jetai sans ménagement sur le lit.

Mlle Debrie s'en offusqua.

— Oh, le pauvre Roman, s'il voyait le peu de cas que tu fais de son présent, il serait froissé.

— Ce n'est pas un pauvre Roman, répliquai-je sèchement.

Mes compagnes ne tentèrent pas de me convaincre du contraire, conscientes qu'un malentendu s'était glissé entre nous.

Lorsque nous arrivâmes dans la salle de l'auberge, Vignerelle nous apprit que Baron était parti aux aurores afin de se rendre au château de Boulogne pour discuter avec son propriétaire de l'organisation des festivités.

— Nous avons quartier libre pour la journée ! s'exclama Dupuis.

— Excellente nouvelle ! lança Mlle Debrie. Nous avons été bringuebalés sur de si mauvais chemins que j'ai le dos moulu et une journée de repos me fera le plus grand bien.

— Hier, nous avons traversé une charmante rivière et j'y plongerais volontiers afin d'ôter la poussière dont je me sens couverte, reprit Camille.

Puis elle s'adressa à moi :

— Viendras-tu, Olympias ?

— Volontiers.

— Je ne vous suivrai pas, annonça Armande. J'ai l'eau en horreur. J'ai ouï-dire que s'y tremper pouvait ramollir les membres et entraîner un pourrissement de la peau.

— Baron compte sur notre sérieux pour réviser *Les Femmes savantes* qu'il va inscrire à notre répertoire, ajouta Vignerelle.

— Il a raison, affirma Mlle Debrie. Alors disons que ce matin nous profitons de notre liberté, et qu'après dîner nous travaillerons.

Roman n'avait pas ouvert la bouche. Il se tenait un peu à l'écart comme si la conversation ne le concernait point. J'essayais de l'ignorer mais, malgré moi, mon regard revenait constamment sur lui. Son air triste me frappa. Peut-être était-il étonné que je ne le remercie pas pour les fleurs ? Eh bien, il pouvait toujours attendre ! Bafouer son amour, le refuser, le faire souffrir en m'éloignant de lui était une trop faible compensation à l'égard de tout le mal qu'il m'avait causé. Ah, qu'il souffre, qu'il souffre encore !

Je me dirigeai avec Camille vers la rivière. Elle était de joyeuse humeur, et pour ne point gâcher son plaisir, j'essayais de me mettre au diapason, riant avec elle lorsque nous plongeâmes nos pieds dans l'eau fraîche. Nous avions ôté nos bas, nos jupes, nos jupons, nos bustiers et nos corps, ne gardant, par pudeur, que notre chemise. Nous nous éclaboussâmes en criant comme des enfants, et, pendant quelques délicieux instants, j'oubliai tout.

Des branches qui craquèrent sur la berge arrêtèrent nos ébats.

— Hou ! Hou ! appela Camille, quel est le méchant qui nous observe ?

À la perspective d'être vue ainsi dévêtue, je restai paralysée, de l'eau jusqu'aux genoux, les bras croisés sur la poitrine, dans un geste puéril de protection.

Camille, très à l'aise, sortit de l'eau, la chemise collée sur son corps parfait, et s'allongea sur l'herbe afin que le soleil la séchât. Je ne bougeais toujours pas, les yeux rivés à l'endroit d'où le craquement m'avait semblé venir.

— Viens donc, m'encouragea-t-elle, l'eau est fraîche et tu vas attraper la mort.

— Je ne peux pas me montrer ainsi.

Elle rit et me gronda :

— Voilà bien la réaction d'une demoiselle de qualité élevée dans un couvent ! Rassure-toi, il n'y a personne pour te voir !

— Si. Quelqu'un nous observe. Tu l'as entendu comme moi.

— Je gage que c'est ton galant venu se rendre compte si tu n'es pas bossue !

— Mon... mon galant ? bredouillai-je.

— Roman, si tu préfères.

Je me mis à claquer des dents et un tremblement nerveux secoua tout mon corps. Je voulus sortir précipitamment de l'eau, mais mon pied me tourna et je perdis l'équilibre. Camille s'affola :

— Attention ! Le courant risque de t'emporter !

Je battis l'air de mes mains pour me redresser, sans succès, et je glissai dans l'eau. Elle poussa un cri strident, lorsque deux bras puissants me soulevèrent.

— Seigneur ! s'exclama-t-elle, heureusement que tu étais là !

Roman me tenait contre lui. Je le repoussai avec une telle violence pour l'éloigner de moi qu'il chancela. Ajouté à tous les griefs que j'avais contre lui, le fait qu'il me vît ainsi dénudée me mit les nerfs à vif et je l'apostrophai avec véhémence :

— Vous devriez avoir honte, monsieur, de venir vous repaître de la vue de deux demoiselles à leur toilette.

Dans ma colère et ma détresse, le vouvoiement m'était revenu naturellement.

— Si je n'y avais point été, tu te noyais.

— Cela aurait mieux valu.

— Me diras-tu, à la fin, pourquoi tu me fuis ? Qu'ai-je bien pu faire pour te déplaire ? Explique-le-moi et je te jure de mettre tout en œuvre pour que tu me pardonnes.

Je soupirai.

Lorsque Camille saisit ses vêtements entassés sur la berge, je la suppliai :

— Attends, je viens avec toi.

— Écoute, Olympias, j'ignore ce qui s'est passé entre vous et je ne veux pas le savoir, mais je crois préférable que vous ayez une explication tous les deux. Uniquement tous les deux.

— Non ! Ne me laisse pas !

— Voyons, ne fais pas l'enfant. Je t'attends à quelques pas de là.

Elle s'éloigna.

— Habille-toi avant d'attraper la mort, me recommanda Roman en me tournant le dos. Mais je t'en supplie, ne t'enfuis pas. Je pense comme Camille qu'une saine explication est nécessaire.

Comme je n'allais pas demeurer devant lui en chemise, je me vêtis à la hâte, sans le quitter des yeux afin de m'assurer qu'il ne se retournerait point.

Mes bas, refusant de glisser sur ma peau humide, godillaient sur mes mollets, et je ne parvins pas à attacher correctement les lacets de mon corps dans mon dos, ce qui donnait à mon bustier une curieuse allure. J'étais attifée comme une souillon, les cheveux dégoulinant sur mes épaules, et c'était pour moi une grande honte de paraître ainsi devant un homme.

Dès que j'eus terminé, il se retourna et cacha mal un rictus moqueur. Comme j'allais me défendre par une réplique cinglante, il glissa la main dans la poche de sa veste mouillée et en sortit un objet qu'il me tendit.

— Pour sceller notre... notre amitié, prononça-t-il gauchement.

C'était un poinçon de cheveux en or, enserrant une perle.

Incapable de parler, je repoussai sa main en hochant la tête négativement.

— Je... je ne comprends pas. Vas-tu enfin m'expliquer pourquoi, après avoir accepté mon amitié, tu la refuses si farouchement ?

Il me parut que le moment était venu et je lâchai :

— Je sais tout.

— Tout ? Et qu'est-ce que ce tout ?

— Tout ce que vous avez fait... autrefois.

— Autrefois ?

Il paraissait abasourdi.

— Vous... vous êtes un... un criminel, parvins-je à articuler.

— Moi ?

Il fut tenté un instant de se disculper, alors j'insistai :

— Oui, vous. J'ai surpris votre conversation avec Baron l'autre jour dans l'écurie.

Il soupira :

— Cette vieille histoire viendra donc toujours empoisonner mon existence. J'étais jeune. J'avais dix-huit ans...

— La jeunesse n'est point une excuse.

— Je te l'accorde. Mais j'étais l'aîné d'une famille de huit enfants. Mes parents étaient fort pauvres. Mon père envisageait même de vendre ses deux plus jeunes fils à des colporteurs de passage qui les auraient transformés en mendiants. Le lieutenant général du bailliage d'Orléans où nous vivions avait envoyé plusieurs fois ses sbires dans notre masure pour réclamer la taille que mon père n'avait pas pu payer. Il n'était pas le seul. Les récoltes avaient été mauvaises et dans le village personne n'avait pu s'acquitter de l'impôt.

— L'impôt est un mal nécessaire.

— Certes, mais ce sont toujours les pauvres qui le paient. De plus le sieur de Bragard était un fieffé coquin qui avait pour habitude de le réclamer deux fois. Une fois pour le Roi, une fois pour lui.

L'insulte me fit bouillir les sangs et je ripostai :

— Monsieur, vous insultez un homme qui...

— Ne le défends point. Je te certifie que ce Bragard avait des pratiques malhonnêtes connues de toute la province, mais comme il était protégé en haut lieu, il n'a jamais été inquiété.

— Je ne vous crois pas, bredouillai-je. Vous prenez plaisir à salir la mémoire de l'homme que vous avez lâchement assassiné.

Mon trouble ne l'arrêta point et il poursuivit :

— Alors, nous avons organisé une expédition jusqu'à Orléans pour supplier ce gentilhomme de nous accorder un délai.

Il se passa la main devant les yeux comme s'il voulait en effacer de terribles images. J'étais suspendue à ses lèvres. Il soupira à nouveau et reprit :

— D'abord, il refusa de nous recevoir. Puis comme nous étions nombreux et que nous menacions d'incendier sa maison, il ordonna que cinq d'entre nous soient choisis pour lui porter une lettre de doléances.

Il eut un rire amer et ajouta :

— Aucun de nous ne savait écrire... nous n'avions que nos mots, nos fourches et nos faux pour exprimer notre malheur et notre indignation.

Il garda un moment le silence. Me décrire ce qui s'était passé ne devait pas être aisé.

— Il ne nous a même pas laissé le temps de nous exprimer. Dès que nous avons fait un pas dans son bureau, trois gardes armés se sont interposés entre lui et nous. Et moi, je criais comme un abruti : « Écoutez-nous, monsieur le lieutenant général, écoutez-nous ! » Un garde a tiré sur un de mes compagnons qui avait réussi à se faufiler près du collecteur d'impôt, alors notre colère n'a plus eu de limite. Nous nous sommes battus contre les gardes. Joseph en a transpercé un avec sa faux et nous avons si fort tapé sur les deux autres qu'ils se sont enfuis malgré les vociférations du lieutenant général qui les incitait à nous occire. Je me suis retourné et je lui ai planté ma fourche dans le ventre.

Instinctivement, j'appuyai mes mains à hauteur de mon abdomen comme si j'avais reçu le coup.

— Sa femme a alors surgi et nous a suppliés : « Épargnez-moi et épargnez notre petite fille ! Nous ne sommes pas responsables de votre malheur ! »

Je retrouvais la voix de ma mère dans ma mémoire. J'entendais son cri strident... celui qui hantait mes nuits depuis dix ans. Des larmes silencieuses s'échappèrent de mes yeux sans que je cherche à les retenir et je murmurai :

— La petite fille... c'était moi.

CHAPITRE
29

Les répétitions que nous fîmes après dîner furent catastrophiques. Car comment susciter le rire quand on a le cœur en mille morceaux !

J'aurais souhaité être à cent lieues de là, ne jamais avoir rencontré cette troupe, et ne jamais avoir rencontré Roman.

Il mentait. C'était certain. Pour minimiser son acte abominable, il avait inventé je ne sais quelle turpitude concernant mon père. C'était faux ! Mon père ne pouvait être l'homme abject qu'il m'avait décrit... Je me souvenais de ses bras lorsqu'il me soulevait, de son rire, de son odeur de cuir et de tabac... Mon père était un gentilhomme valeureux et fier, au service de son Roi, et c'est afin de le bien servir qu'il récoltait l'impôt dont chacun doit s'acquitter.

Roman me faisait horreur. Comment avais-je pu l'aimer ? Et pourquoi mon esprit ne m'avait-il point envoyé de signes pour m'indiquer qu'il était l'assassin de mon père ?

Et ma mère ? Pourquoi n'avait-elle pas continué à m'élever ? Était-elle décédée ? J'avais grande envie de savoir ce qu'elle était devenue. Mais comment faire ?

Toutes ces questions qui tournoyaient dans mon esprit m'empêchaient de me concentrer sur les vers de Molière.

De son côté, Roman était sous le choc de ce que je lui avais annoncé. Il avait cru, par le récit de ses exploits, me conquérir, ou tout au moins de coupable se transformer en justicier. Il venait d'apprendre qu'il avait tué mon père. Je pense que, comme moi, il avait du mal à se faire à l'idée que notre idylle était terminée au moment même où elle commençait.

Alors que je m'étais éloignée du groupe pour relire à mon aise une scène, il s'approcha de moi :

— Je t'en supplie, Olympias, je t'aime et...

— Moi, je te hais !

— Je ne savais pas que tu étais la fille de...

— Tu as brisé ma famille et transformé mon enfance en cauchemar.

— Ta souffrance m'est intolérable... je...

Digne, je ne le laissai pas terminer et je revins vers les autres sans me retourner.

Plus tard, tandis que je me recoiffais à l'écart des autres, il revint à la charge :

— Je t'aime, Olympias, et je t'en supplie, essaie de comprendre. Mets-toi à la place de...

— Jamais ! Je ne suis ni une menteuse ni une criminelle !

— Mais je ne suis ni l'un ni l'autre ! Je t'ai dit la vérité... Et puis peut-on parler de crime quand j'ai uniquement voulu sauver ma vie et celle de mes compagnons ?

— Menteur, criminel et lâche par-dessus le marché ! répliquai-je avec mépris.

Je ne quittais plus le groupe afin de ne plus avoir à affronter Roman. Mais chaque fois que je jouais une scène avec lui, il posait sur moi un regard contrit ou énamouré. Je gardais donc les yeux baissés, mais Mlle Debrie me gronda :

— Olympias, comment veux-tu faire accroire au public que Clitandre est ton amant si tu t'adresses à lui à la tête basse !

— Le rôle d'Henriette n'est pas pour moi, me défendis-je.

— Peut-être. Mais concentre-toi un peu ! Le différend qui t'oppose à Roman ne doit pas nuire au reste de la troupe.

— Excuse-moi. Je vais faire un effort et tu n'auras plus à te plaindre de moi.

Je bandai toute ma volonté pour dévisager Roman, employer le ton juste, placer ma voix et même essayer d'être drôle.

C'était une thérapie efficace, car elle me permit, sinon d'oublier, du moins de ne pas perdre la raison et de donner le change.

Lorsque Baron arriva, il fut immédiatement frappé par l'ambiance morose qui régnait entre nous.

— Ho, là ! s'exclama-t-il, c'est Molière que vous déclamez ainsi ou une oraison funèbre du sieur Bossuet ?

Sa repartie humoristique ne dérida personne. Il enchaîna :

— Pourtant, j'ai de bonnes nouvelles pour nous tous. Au mariage de Mlle de La Tour Gouvernet avec le marquis de Balaruc, toute la noblesse du Vivarais, du Forez, du Lyonnais et d'une partie du Dauphiné sera présente. Si nous jouons bien, nous aurons probablement d'autres engagements, ce dont nous avons grand besoin.

Comme aucun de nous ne manifesta de satisfaction, il reprit d'un ton bougon :

— Je ne veux pas savoir ce qui s'est passé pendant mon absence, mais je vous rappelle que nous sommes une troupe. Nous sommes tous solidaires et je ne supporterai pas que l'un d'entre vous sème la discorde.

Il jeta un regard furieux à Roman qui ne broncha pas. Je n'eus pas le courage d'expliquer la situation à Baron. Les autres, ignorant le motif de ma froideur envers Roman, restèrent muets.

— Je vais donc distribuer les rôles pour *Les Femmes savantes*. C'est la pièce que M. de La Tour Gouvernet a retenue. Comme à l'accoutumée, vous jouerez plusieurs rôles, sauf Olympias. Premièrement parce qu'elle n'a pas encore l'habitude de déguiser sa voix pour changer de personnage, et aussi parce que je lui attribue le rôle d'Henriette.

— Ce rôle ne me revient-il pas de droit ! s'indigna Mlle Vignerelle. Je suis plus ancienne qu'Olympias dans la troupe tout de même !

— Certes. Mais Olympias nous a prouvé qu'elle avait du talent. Il faut lui donner l'occasion de le montrer.

Armande pinça les lèvres de dépit. J'attendais fébrilement la suite de la programmation.

— Et bien sûr, le rôle de Clitandre, l'amant[1] d'Henriette, ira à Roman.

Mon sang se glaça et la tête me tourna.

Roman m'adressa un regard mortifié et s'avança vers moi comme le chien fautif vient quémander la caresse de son maître. Je reculai d'un pas et protestai :

---

1. Amant au XVIIᵉ siècle signifiait « celui qui aime ».

— Non, non, ce n'est pas possible !

Se méprenant sur mon refus, Baron m'encouragea :

— Tu en es capable et Roman, qui connaît bien sa partie, te secondera au mieux.

— Parfaitement, affirma Roman. On répétera ensemble autant de fois que nécessaire.

Comment osait-il me parler comme si rien d'abominable ne s'était passé entre nous ? Était-il complètement insensible à ma douleur ? Pensait-il pouvoir me reconquérir en jouant le rôle de l'amant ? Son audace m'écœurait et je répétai :

— Non, non, je ne veux pas !

Jouer l'amoureuse de Clitandre était une épreuve insurmontable et entendre Roman me déclarer sa flamme dans la scène 2 serait au-dessus de mes forces.

— Enfin, que t'arrive-t-il, Olympias ? s'inquiéta Baron. Je te propose un rôle dont beaucoup de comédiennes rêvent, et tu le refuses !

— Offre-le donc à Armande, je le lui laisse sans façon. Je jouerai Bélise et Martine à la place.

Baron fronça les sourcils, hésita, puis tempêta :

— Écoute, Olympias. C'est moi et moi seul qui attribue les rôles et je n'ai que faire des caprices des uns et des autres ! Roman est parfait en Clitandre et le rôle d'Henriette est celui dans lequel il y a le moins de texte à apprendre. Alors tu seras Henriette, que cela te plaise ou non !

Alors, je lançai tout à trac :

— Dans ce cas, je quitte la troupe !

Et sans attendre leur réaction, je me précipitai au-dehors et je m'écroulai à côté du puits pour pleurer à mon aise.

Baron vint m'y rejoindre. Il me saisit par les épaules et, m'obligeant à me lever, il me tint contre lui comme un père le ferait pour sa fille, puis il me parla d'une voix pleine de compassion :

— Je vois bien, Olympias, que quelque chose ou quelqu'un te perturbe. Conte-moi ton tourment. Je peux tout entendre et je suis aussi muet qu'une tombe.

— Je ne puis, hoquetai-je.

— C'est à propos de Roman, n'est-ce pas ?

Je hochai la tête.

Baron soupira et ajouta comme pour lui-même :

— Ah, celui-là...

Nous restâmes un moment silencieux et cela m'apaisa.

— Roman est trop fougueux, reprit-il, cela lui a déjà joué des tours. Pourtant, il est courageux, généreux et...

— Non ! criai-je, tremblant d'indignation que l'on puisse attribuer autant de qualités à l'assassin de mon père.

— Je te l'affirme.

J'étais si désemparée, il était si prévenant que je lui ouvris mon cœur :

— J'ai entendu ta conversation avec Roman l'autre jour. Le lieutenant général du bailliage d'Orléans qu'il a assassiné, c'était... c'était mon père.

Il me serra dans ses bras et murmura :

— Ton père ? Ah, ma pauvre enfant !

— Tu comprends à présent pourquoi la vue de Roman m'est intolérable. Il est bien vivant, lui, alors qu'il a supprimé un être bon et loyal qui m'a cruellement manqué.

— Qu'il t'ait manqué, je le conçois. Un père est un père... cependant, je dois te l'avouer, ton père, en dehors, je le suppose, de sa famille, n'était point bon.

— Tu... tu protèges Roman... c'est ignoble !

— Non. Laisse-moi parler. Roman et moi sommes tous deux de l'Orléanais. Dans cette province, tout le monde savait que le lieutenant général prélevait deux fois la taille. Une fois pour le Roi, une fois pour lui.

Soupçonnant une menterie, je voulais le contraindre à la dévoiler.

— Et comment se fait-il qu'il n'ait jamais été inquiété ?

— Parce qu'il était rusé, habile courtisan, et que les grands se moquent que l'on vole les faibles !

Roman et ses compagnons voulaient seulement que cette pratique honteuse cesse... mais l'affaire a mal tourné.

— En effet, puisqu'il a assassiné mon père !

— Non pas assassiné. Roman n'était pas venu pour tuer, seulement pour effrayer un peu ce gentilhomme qui usait de ses prérogatives pour affamer les plus pauvres... et puis ton père a refusé de parlementer, il a appelé ses gardes, une bagarre s'ensuivit et Roman, pour se défendre, a donné ce coup de fourche.

— Et mon père en est mort.

— Celui de Roman aussi. Mort de chagrin de savoir que son fils avait tué pour tenter d'améliorer le sort des pauvres gens.

— Ne me dis pas que tu le considères comme un héros ? m'emportai-je.

— Non... enfin si. Avant de te connaître, je pensais qu'il avait agi selon sa conscience pour le bien d'autrui. Maintenant, je sais aussi que son action a fait de toi une orpheline...

— Et ma mère ? Sais-tu ce qu'elle est devenue ?

— J'ai ouï-dire qu'elle était entrée dans un couvent pour expier les fautes de son mari.

Elle était donc encore en vie ! Un immense espoir me souleva le cœur et je demandai :

— Dans quel couvent ?

— Je l'ignore. Lorsque Roman, affolé, est venu, de nuit, se réfugier chez moi, j'allais partir avec ma troupe. Il a changé de nom, il a pris un costume de Pierrot, il s'est grimé et, au matin, j'ai annoncé que nous avions une nouvelle recrue. Depuis dix ans, nous évitons de proposer nos spectacles dans la région d'Orléans... de peur qu'un membre de la police trop scrupuleux ne vienne mettre le nez dans nos affaires et reconnaisse Roman.

Ses explications avaient quelque peu calmé ma colère et atténué ma haine. Mais ma douleur de ne point avoir le père idéal dont rêvent tous les enfants était bien réelle. Il allait falloir que je fasse le deuil de ce père avant de pouvoir envisager de me reconstruire et que je connaisse le destin de ma mère.

Après, peut-être pourrais-je pardonner à Roman ? Mais l'aimer ? Non, jamais !

30

Je ne pus fermer l'œil de la nuit.

Devais-je partir ? Rester ? Faire arrêter Roman ? Tirer un trait sur ce père qui n'était pas celui que j'attendais ? Courir à la recherche de ma mère ?

Si j'avais été à Saint-Cyr, j'aurais puisé du réconfort auprès de mes amies, le soir dans le dortoir. Notre conversation m'aurait certainement permis d'y voir plus clair. Ah, comme leur douce présence me manquait !

Avant d'éteindre la chandelle, Camille, voyant mon état de nervosité, m'avait bien interrogée, mais je fus incapable de lui ouvrir mon cœur. Notre amitié me parut de trop fraîche date pour partager avec elle de si lourds secrets.

Au matin, je n'avais réussi à prendre aucune décision.

Une fois de plus, les malles furent chargées dans la voiture et nous partîmes pour le château de Boulogne.

Comment pouvait-on habiter dans un pays aussi rude et sauvage ? Les sentes étaient étroites et tortueuses, les ravins profonds cachaient des torrents violents, les forêts étaient immenses et escarpées. À tout moment, nous nous attendions à voir surgir une meute de loups ou des brigands sanguinaires. Cette peur, que nous partagions, m'évita de penser à autre chose.

Le château nous apparut au détour du chemin : perché sur un piton rocheux, il avait fière allure bien qu'il ressemblât à une bâtisse moyenâgeuse et n'eût rien de l'aspect riant de Versailles. Des charrettes lourdement chargées étaient arrêtées devant le pont-levis et des portefaix déchargeaient des tonneaux de vin, des cages contenant des volailles, des paniers emplis de fruits, d'herbe, des sacs pleins de victuailles. Des paysans s'interpellaient, des valets couraient en tous sens, des cochons grognaient, des poules caquetaient, les chevaux hennissaient. Baron voulut faire dégager des charrettes afin que nous puissions entrer dans la cour, mais il eut beau crier, gesticuler, aucun ne voulut déplacer sa carriole.

— De toute façon, nous assura un paysan dans un français mêlé de patois, y'a tant de carrosses et de calèches dans la cour qu'y a plus la place pour y mettre un œuf !

Baron se résolut à abandonner la voiture et nous terminâmes à pied. Il recommanda à Vignerelle, Dupuis et Roman de transporter les malles contenant costumes et accessoires à l'intérieur du bâtiment.

— Beaucoup de gens de ce pays sont de la religion réformée. Ils jugent que le théâtre est l'œuvre de Satan. Ils seraient capables de tout brûler s'ils découvraient que nous étions comédiens.

Après la rudesse des paysages, voici que les gens aussi étaient inhospitaliers !

— Rassurez-vous, reprit Baron devant nos mines déconfites, le sieur de La Tour Gouvernet est catholique. C'est un homme cultivé qui apprécie notre art. Sinon, je ne vous aurais point entraînés dans cette galère !

Le rappel de la célèbre formule utilisée par Molière dans Les *Fourberies de Scapin*[1] nous fit sourire.

Nous louvoyâmes entre les cages, les tonneaux, les animaux, les paysans, puis, après avoir franchi le pont-levis, nous fîmes de même entre les carrosses,

---

1. *Les Fourberies de Scapin*, acte II, scène 7.

les chevaux énervés, les dames encore enveloppées dans leur ample manteau de voyage, les gentils-hommes, la cape accrochée à l'épaule, et les valets en livrée portant malles et ballots.

Je ne sais comment nous parvînmes devant le perron sans être renversés.

Un majordome, imbu de son rôle, nous arrêta :

— Vos noms ? lâcha-t-il.

— Nous sommes les comédiens venus pour...

— Alors, entrez par les cuisines ! ordonna-t-il en nous indiquant du bout de sa canne un bâtiment à l'opposé de celui devant lequel nous étions.

Nous traversâmes une nouvelle fois la cour.

Baron fulminait. Il marchait à grands pas et prit plaisir à bousculer un gentilhomme orné de rubans, du chapeau aux bas de soie. Ce dernier fut si interloqué qu'il n'eut pas le temps de rabrouer notre directeur. Certes, nous ne pouvions prétendre à être traités comme des gens de qualité, mais notre directeur était si fier de son art qu'il supportait mal d'être rabaissé au rang des gens de maison.

Je ne pus m'empêcher d'admirer le chatoiement des tissus, la richesse des broderies, les parures de cheveux étincelant dans la lumière, les nombreux rubans de tout ce beau monde.

— Que ne donnerais-je pour porter une de ces magnifiques robes, me souffla Camille. La mienne n'a plus de couleur et mon bustier ne va pas tarder à craquer.

— Il est vrai que cela fait rêver, lui répondis-je.

Mlle Debrie, qui avait surpris notre conversation, nous sermonna :

— Eh bien mes mignonnes, le seul moyen d'avoir du si beau linge est d'épouser un vieux gentilhomme fortuné.

Puis, afin de bien nous décourager, elle ajouta :

— Mais comme vous n'avez point de dot, le gentilhomme sera bien vieux, bossu, édenté, malade, et voudra quand même caresser votre joli corps...

— Ah, non alors, se rebella Camille.

— Dans ce cas, il faut se contenter de ce que tu as et que beaucoup de dames de qualité nous envient : la liberté et le théâtre.

En passant à côté d'une calèche, j'essayais d'apercevoir la tenue de la dame qui tenait à deux mains ses jupes afin que l'ampleur ne la gênât pas pour descendre. Lorsque, après avoir posé les pieds à terre, elle leva la tête, je lançai, stupéfaite :

— Charlotte !

Elle me dévisagea et s'exclama à son tour :

— Olympe !

— Que je suis heureuse de vous revoir !

— Moi aussi... mais par quel curieux hasard êtes-vous ici ? Avez-vous fui Saint-Cyr ?

— Ah, mon amie, c'est une bien longue histoire. Je vous la résume en quelques mots : je suis devenue comédienne !

— Comédienne ! Je n'en reviens pas. C'était mon rêve... la vie en a décidé autrement. Vous devez être si heureuse d'exercer cet art !

— Certes. Le théâtre me comble... mais pour le reste...

Il me semblait que nous nous étions quittées la veille et que notre complicité était intacte. Je m'apprêtais à lui exposer mes tourments lorsqu'un gentilhomme surgit à son côté. Il était jeune, grand, et avait fière allure.

— Olympe, je vous présente mon cousin François dont je vous ai si souvent parlé à Saint-Cyr.

François s'inclina devant moi et ajouta sans façon :

— Ainsi, vous êtes l'une des demoiselles dont Charlotte me rebat les oreilles ! Vous savez que j'ai parfois l'impression qu'elle regrette son couvent !

Ma gorge se serra. Moi aussi, il m'arrivait de regretter le calme de notre maison. Je jetai un regard à Charlotte. Avait-elle également des soucis ? N'était-elle pas parfaitement heureuse avec François ? Elle me sourit, comme pour me rassurer, et changea de sujet de conversation :

— Blanche est une de mes cousines. Son mariage avec le marquis de Balaruc a attiré tous les seigneurs de la région. Le marquis est très apprécié par Sa Majesté mais, ajouta-t-elle en se penchant vers moi, il est aussi fort vieux...

— Venez, ma mie, ne nous mettons pas en retard, lui dit son cousin en lui saisissant le bras.

— Nous nous verrons après la représentation, n'est-ce pas ? J'ai hâte d'avoir des nouvelles des amies de Saint-Cyr...

CHAPITRE

31

Nous jouâmes dans la salle des gardes.

C'était la seule pièce assez vaste pour contenir les spectateurs et les acteurs. Baron était fort mécontent que l'on nous cantonnât dans cette salle basse de plafond, sans ornement, froide et humide, et qui sentait la sueur et la graisse. Il craignait que les dames ne refusent de pénétrer dans ce lieu malsain, et ne préfèrent rester autour du buffet. Il aurait souhaité qu'on nous accordât la salle de bal. Mais le maître de cérémonie lui avait répliqué :

— Monsieur, comme son nom l'indique, la salle de bal est réservée à la danse. Dans les pièces contiguës on a dressé des tables de jeux et des buffets. La cour est encombrée par les voitures et, Boulogne étant une forteresse, il y a peu d'espace pour les jardins. Alors estimez-vous heureux que le sieur de La Tour Gouvernet ait, pour un temps, fait libérer la salle des gardes afin que vous puissiez y donner la comédie.

Baron s'inclina et fut même contraint de remercier, mais dès que le maître de cérémonie se fut éloigné, il tempêta :

— Ces gens de Vivarais sont des rustres !

Vignerelle et Dupuis installèrent des tentures pour habiller les murs et pour cacher nos entrées. Certaines troupes engageaient un moucheur de chandelles chargé également des décors, mais Baron n'avait pas les moyens. Vignerelle, en plus de ses rôles, était notre « homme à tout faire ». À la fin de chaque acte, il se précipitait pour éteindre les chandelles en bout de course et en allumer d'autres. Un incendie est si vite arrivé !

Comme précédemment, l'angoisse s'empara de moi. Mais cette fois, j'étais en plus bouleversée de devoir jouer l'amante d'un homme qui était l'assassin de mes parents. Sa seule vue me répugnait et il fallait que je l'approche et que je l'aime. Je crus que je n'y parviendrais point. Et puis, contre toute attente, je me pris au jeu. L'homme que j'avais en face de moi n'était pas Roman, c'était Clitandre, et je n'étais point Olympe, j'étais Henriette.

Je retrouvais le plaisir d'interpréter un personnage qui n'était pas moi, ce même plaisir qui avait réussi à me sortir de la torpeur et de la peur lorsque j'avais joué *Esther* à Saint-Cyr.

Ce sont les applaudissements qui me ramenèrent à la vraie vie.

À cet instant, je m'aperçus avec stupeur que je tenais la main de Roman pour saluer. La main qui avait tué mon père. Elle me brûla. Je la lâchai vitement et, changeant habilement de place, je saisis celle de Baron.

La salle était pleine.

Sur les fauteuils et les chaises des premiers rangs, les dames étaient assises. La mariée et son époux occupaient les deux places du centre. Il me parut effectivement que Blanche était fort jeune et lui, bien vieux. Charlotte, assise à côté de sa cousine, m'adressa un petit signe affectueux. Les gentils hommes se tenaient debout dans le fond de la salle. Aux odeurs nauséabondes se substituaient à présent les effluves de parfums lourds et capiteux. Le mélange était presque irrespirable, aussi les dames sortirent rapidement en agitant leur éventail, tandis que les gentilshommes portaient un mouchoir à leurs narines.

Blanche s'approcha de nous et nous félicita avant de suivre son époux qui n'avait pas desserré les dents. Le sieur de La Tour Gouvernet nous remercia et nous indiqua qu'un repas nous serait servi dans les communs.

Baron était satisfait de notre prestation, mais furieux que l'on nous traitât, une fois de plus, comme des domestiques, il bougonna :

— Ces gens-là sont contents que l'on sache les distraire, mais ils préfèrent nous éloigner dès que nous ne sommes plus en représentation. L'Église nous excommunie, il serait mal vu qu'ils nous accueillent à leur table.

Moi, j'étais soulagée d'avoir pu déclamer mon texte et d'avoir réussi à faire face à Roman sans défaillir. Alors que la troupe s'éloignait vers les cuisines, Charlotte me retint et m'entraîna dans le jardin. Nous nous assîmes sur un banc de pierre.

— C'est le seul endroit calme ! me dit-elle. Il y a tant de monde qu'il n'y a pas un ployant de libre dans tout le château. Parle-moi de Saint-Cyr et de toi !

Je lui contai ce qui s'était passé depuis son départ. À dire vrai, j'ignorais ce qu'il était advenu d'Hortense et d'Henriette après qu'elles eurent quitté notre maison. Nous n'avions de nouvelles que d'Isabeau[1]. Mme de Maintenon nous avait informées non sans fierté qu'elle instruisait les fillettes pauvres d'un orphelinat proche de Saint-Cyr.

— Êtes-vous enfin heureuse avec votre cousin ? lui demandai-je.

---

1. Lire *Le rêve d'Isabeau.*

— En partie seulement. François souhaite que nous nous mariions et je le désire aussi ardemment. Mais avant de devenir son épouse, je me suis juré de me venger du sieur de Bourdelle par qui le malheur a fondu sur ma famille. Ma sœur Héloïse est partie pour le Québec[1] pour pratiquer librement notre religion réformée. Mon père est ruiné et ma mère est très affaiblie.

Je ne pus m'empêcher de soupirer :

— Ah, mon amie, le destin n'est pas plus clément avec vous qu'il ne l'est avec moi.

— N'êtes-vous pourtant point en train de réaliser votre rêve en étant comédienne ? s'étonna-t-elle.

— Je peux vous répondre comme vous : « En partie. » Car par le plus cruel des hasards le comédien que j'aime est le meurtrier de mon père.

— Ciel !

Je lui narrai mon histoire. Elle posa une main compatissante sur mon bras et me plaignit. Avide de conseils, je la questionnai :

— Que feriez-vous, à ma place ?

— Grand Dieu, je ne sais ! Votre situation me semble encore plus dramatique que la mienne, car l'amour de François me soutient dans mon épreuve, alors que pour vous cet amour est une entrave à votre vengeance. Le mieux ne serait-il pas de le

1. Lire *Gertrude et le Nouveau Monde.*

fuir ? Ou alors de le dénoncer à la police ?... Non, non, ce serait trop cruel... pourtant, c'est un criminel... Oh, ma pauvre amie...

Elle me serra la main et, ne sachant comment m'aider, elle aborda un sujet plus gai :

— Je viens d'avoir des nouvelles de Louise.

— Louise ! Je me souviens que la reine d'Angleterre exilée à Saint-Germain l'avait prise à son service afin qu'elle chantât pour elle. Elle avait une si jolie voix !

— Elle se marie avec le sieur Bernard de Prez. Un courrier m'est parvenu pour me porter l'invitation. Elle souhaite que toutes ses compagnes de la classe jaune soient présentes à la cérémonie.

— Hélas, je ne vois pas comment je...

— Charlotte ! s'écria soudain François en paraissant devant nous sans que nous l'ayons entendu, le bal va commencer.

— Olympe me donnait des nouvelles de Saint-Cyr.

— Il ne faut plus parler de Saint-Cyr, gronda-t-il. Maintenant vous avez retrouvé la religion de votre enfance, votre famille et moi... Saint-Cyr ne peut être qu'un mauvais souvenir.

Elle fit la moue, hésita puis, refusant de contredire son fiancé, elle se leva et m'embrassa.

— Je vous souhaite bon courage, Olympe, et j'espère que nous nous reverrons au mariage de Louise.

Je savais que c'était impossible, mais pour nous séparer sur une note d'espoir, je répondis :

— Qui sait ?

32

Bien que n'ayant guère faim, je me dirigeai vers les cuisines pour rejoindre la troupe. Baron et Dupuis mordaient dans une cuisse de poulet, M. et Mme Vignerelle bavardaient tandis qu'un galopin tournait la manivelle de la broche contenant une bonne dizaine de volailles. Camille et Mlle Debrie étaient attablées devant une assiette de potage.

— Roman est avec toi ? m'interrogea Camille.

— Grand Dieu, non !

— Il n'est point venu en cuisine avec nous. C'est curieux. Habituellement il est le premier à se ruer sur les victuailles, remarqua-t-elle.

— Des événements ont pu lui couper l'appétit, ajouta Mlle Debrie.

— Une peine de cœur, par exemple ? reprit Camille en me dévisageant.

Voilà qu'elles me rendaient responsable du manque d'appétit de Roman ! C'était un comble !

Incapable de supporter leurs railleries, je m'apprêtais à sortir de la cuisine lorsque Baron m'arrêta et me demanda à son tour :

— Sais-tu où est Roman ?

Interloquée, je répondis sèchement :

— Non.

— Vous... vous vous êtes disputés ?

— Non. En dehors des répliques échangées pendant la représentation, je ne lui ai plus adressé la parole depuis le jour où... enfin depuis le jour où il m'a avoué son forfait.

— Où peut-il bien être ?

— Serait-il au diable que j'en serais satisfaite, ripostai-je en m'éloignant.

Au moment de quitter le château de Boulogne, Roman ne parut pas.

Vignerelle et Dupuis explorèrent le parc en l'appelant, persuadés qu'il était en galante compagnie dans un bosquet, mais ils revinrent bredouilles. Baron les avait laissés faire, mais je voyais bien à sa mine sombre qu'il s'inquiétait. Il me lança même un coup d'œil inquisiteur comme s'il redoutait que je n'aie dénoncé son ami. Il dut penser un moment que j'avais informé le fiancé de Charlotte de mes tracas et que celui-ci avait enfermé Roman dans un réduit en attendant de le livrer à la police. Il retourna donc dans le bâtiment afin de sauver son ami. Enfin, c'est ce que je supposai après l'avoir vu franchir le seuil à grandes enjambées et revenir tête basse vers nous.

— Roman est parti, bougonna-t-il.

— Parti ? Comment ça, parti ? s'étonna Armande.

— Il avait des ennuis... alors il est parti... pour ne pas nous gêner.

— Et comment allons-nous jouer sans lui ? poursuivit Dupuis.

— Je l'ignore, s'énerva Baron.

— Enfin, c'est insensé, on ne quitte pas ainsi une troupe dans laquelle on travaille depuis dix ans pour un... un ennui ! Surtout si c'est affaire de cœur ! s'indigna Armande.

Je rougis, mais j'étais si frappée par le départ de Roman que je demeurai muette. À dire vrai, je ne savais que penser. S'il était parti afin que sa vue ne m'indisposât plus, c'était assez chevaleresque, parce qu'il avait dû être difficile pour lui de quitter le théâtre et son ami Baron. Mais s'il était parti afin d'échapper à la justice, c'était d'une extrême lâcheté.

— Il est parti. C'est tout ce que je peux dire, se buta Baron.

Il monta sur le siège du cocher et, d'un signe, il invita Dupuis à venir s'asseoir à la place occupée habituellement par Roman. Nous nous installâmes dans la voiture et le fouet claqua.

L'atmosphère était pesante. J'avais l'impression que mes compagnes me rendaient responsable du départ de Roman. Je l'étais effectivement, mais la raison était bien plus grave qu'une simple histoire sentimentale ! J'hésitais. Devais-je tout leur expliquer pour éviter qu'elles ne me rejettent ? Il me répugnait de revivre encore une fois le cauchemar de mon enfance, et surtout je ne voulais pas de leur pitié.

Je me tus donc, mais les regards qu'elles échangeaient ou qu'elles me lançaient à la dérobée me faisaient mal.

Je tournai le visage vers l'ouverture de la portière pour éviter de les affronter et pour réfléchir aussi.

J'avais souhaité le départ de Roman, afin de ne plus devoir faire face à l'assassin de mon père. Je l'avais même appelé de mes vœux pour m'éviter d'avoir à le dénoncer à la police et ne pas être à mon tour coupable d'envoyer un homme à l'échafaud.

J'aurais dû être soulagée à défaut d'être sereine. Je ne l'étais point.

Un poignard me torturait le cœur et une phrase tournait en boucle dans ma tête, y soufflant tantôt le chaud, tantôt le froid : « Tu ne le verras plus ! Tu ne le verras plus ! » Je m'en réjouissais et je m'en affligeais. Et j'étais honteuse de m'en affliger, car mon cœur allait à l'encontre de mon esprit. Il était si épris de Roman qu'il refusait d'entendre les paroles haineuses que je prononçais envers mon amant. C'était pathétique.

Camille, que je pensais être mon amie, ne chercha pas à m'aider. Comme les autres, elle m'en voulait du départ de Roman qui mettait en péril l'existence de la troupe. Peut-être même en était-elle secrètement éprise ?

J'étais seule.

Nous roulâmes longtemps.

Durant de nombreuses lieues, le silence fut uniquement meublé par les grincements des essieux, le bruit des roues sur les chemins, le pas des chevaux et quelques soupirs s'échappant des poitrines de Camille ou d'Armande.

Puis, sans doute afin de rompre l'ambiance lourde qui régnait dans l'habitacle, Mlle Debrie, comme si rien de fâcheux ne s'était passé, parla du mariage de Blanche. Vignerelle conta une anecdote sur le mariage de Molière. Camille enchaîna en imaginant son futur mariage avec un vieux baron très riche qui la couvrirait de bijoux afin de la présenter à la Cour, et elle le fit avec tant de drôlerie qu'elle entraîna nos rires.

Le mien était sans doute un peu coincé, mais il me soulagea du poids qui comprimait ma poitrine.

— Allez, me dit Camille, on ne t'en veut pas. C'est Roman le fautif ! Il n'a pas hésité à nous plonger dans l'embarras en disparaissant ainsi !

— Oh, mais personne n'est irremplaçable ! décréta Armande, et je gage que Baron nous dénichera bientôt un talentueux comédien.

Lorsque Baron arrêta la voiture devant l'auberge du Grand Cerf, l'atmosphère était moins pesante.

33

Cette auberge était située aux portes de Tournon.

Baron disparut aussitôt. Ma première pensée fut qu'il partait à la recherche de Roman, mais Dupuis nous annonça :

— Baron est allé voir un des anciens comédiens de la troupe qui habite à proximité. Il espère le convaincre de reprendre du service.

Une fois de plus, Vignerelle et Dupuis sortirent les malles et les montèrent dans les chambres. Nous nous rendîmes dans la nôtre afin de nous débarrasser de la poussière des chemins et nous rafraîchir les mains et le visage.

Quelques instants plus tard, nous étions attablés dans la salle de l'auberge devant un bouillon fumant et odorant. Lorsque Dupuis entra, je m'attendais à voir Roman dans son sillage. Il n'y était pas. « Bon débarras ! » pensa mon esprit, tandis que mon cœur se serrait. Pendant le temps que dura le repas, la conversation languit. La verve de Roman manquait à mes compagnons et je dus bien me rendre à l'évidence : elle me manquait aussi.

Nous nous apprêtions à monter nous coucher lorsque Baron revint. Il était suivi d'un homme, le chapeau enfoncé jusqu'aux yeux.

— Je vous présente Taupier, un ancien de la troupe, s'exclama-t-il en donnant une grande claque amicale dans le dos du nouveau venu. J'ai eu des difficultés à le convaincre de nous rejoindre. Il a maintenant femme et enfants... mais lorsque je lui ai annoncé que nous montions jusqu'à Paris pour jouer devant des princes, il n'a pas pu refuser ! Se produire devant les grands du royaume, c'est notre rêve à tous !

Nous échangeâmes des regards interrogateurs : « Jouer à Paris devant des princes » ? Jamais Baron ne nous en avait parlé. Était-ce une menterie pour attirer le comédien ?

Ce dernier retira son chapeau. Il avait un visage buriné et ridé, et lorsqu'il nous sourit, je vis qu'il n'avait presque plus de dents. Comment allait-il pouvoir jouer les rôles d'amants ou de valets farceurs qui convenaient si bien à Roman ?

— B'jour la compagnie ! claironna-t-il.

Vignerelle se poussa un peu pour que Taupier s'assît à côté de lui sur le banc.

— On se connaît ! lui dit-il. Nous avons fait deux ou trois tournées ensemble il y a... oh, il y a plus de dix ans !

— Exact... et puis, lors d'une représentation à Tournon, j'ai rencontré Annette. Elle était veuve d'un riche marchand. Et me voilà marié avec six petits. Mais j'ai jamais pu m'extirper le théâtre des entrailles, alors lorsque Baron est venu me chercher... Annette n'était pas contente, mais je lui ai juré que c'était juste pour quelques mois...

Il éclata de rire et ajouta :

— J'ai croisé les doigts derrière mon dos... comme ça mon jurement est nul et je peux rester autant que je veux. La vie de bourgeois est si ennuyeuse !

Je souriais par courtoisie, mais cet homme qui prenait la place de Roman ne me plut pas et j'eus l'impression qu'il déplaisait également à mes compagnes. Je n'en dirais point autant des messieurs, qui s'esclaffèrent à ses plaisanteries.

— Nous jouons demain après-dîner au château de Tournon, nous informa Baron. Mme de Polignac y reçoit des amis et elle a choisi *Le Cid* pour les distraire.

Ma gorge se serra. Cette pièce était la réplique de ma propre situation et devoir la jouer me parut une épreuve insurmontable.

— C'est, je crois, la dernière pièce que tu as jouée avec nous, n'est-ce pas Taupier ? poursuivit Baron.

— Oui... c'est un texte qui marque, et pour peu que je le relise une ou deux fois, il me reviendra facilement.

— Alors au travail ! La nuit sera à peine suffisante pour te le remémorer ! Chacun reprendra les rôles qu'il connaît. Nous ferons une première répétition demain matin.

Je dormis à peine, et j'avais la tête en feu lorsque nous nous retrouvâmes dans un pré proche de l'auberge pour la répétition.

J'eus du mal à interpréter correctement ma partie dans la scène 1 de l'acte I. Baron ne me fit aucun reproche, pourtant, lorsque soulagée, je quittai la place, je vis qu'il était déçu par ma prestation. Et lorsque Taupier entama le monologue de la scène 6, nous étions suspendus à ses lèvres. Il était mauvais. Il gesticulait, il braillait plus qu'il ne déclamait, sa voix montait dans les aigus pour se perdre dans les graves. Il n'avait rien de l'amant désespéré ni du fils prêt à sacrifier son amour pour sauver l'honneur de sa famille. Je fermai un moment les yeux. J'entendis la voix de Roman tandis que son visage enflammé par la passion m'apparaissait. Oui, Roman était un Rodrigue parfait, alors que Taupier me faisait grincer des dents.

— Bien ! le félicita Baron.

Interloquée, j'ouvris les yeux.

Les autres paraissaient tout aussi conquis. Comment pouvait-il se tromper ainsi ? Taupier était mauvais... ou alors était-ce moi qui, aveuglée par mes sentiments pour Roman, n'étais pas un juge impartial ? Impossible. Je détestais Roman et je n'avais rien contre Taupier.

J'étais là, bras ballants, indécise, lorsque Camille me dit :

— Il se débrouille plutôt bien, non ?

— Si, si... enfin, je le trouve trop...

— Certes, il n'a pas l'allure de Roman et il fait un Rodrigue un peu âgé, mais avec une perruque et une couche de fard, ça devrait aller.

Elle me quitta pour la scène 3, ce qui m'évita de répondre.

Taupier s'approcha alors de moi, comme un coq s'approche d'une poulette, dressé sur ses ergots et bombant le torse afin de l'impressionner.

— J'ai encore de beaux restes ! Et d'ici un jour ou deux, je serai même excellent.

Sa fatuité m'irrita, mais afin de ne pas envenimer nos relations, je lui accordai un souris.

— Baron m'a vanté tes qualités de comédienne, et j'ai hâte que tu me donnes la réplique.

Baron, agacé me sembla-t-il par les fanfaronnades de Taupier, tapa dans ses mains pour nous appeler.

Je me précipitai sur le pré pour dire la première réplique de la scène 1. Taupier enchaîna. Je ne le vis pas. C'est à Roman que je m'adressais. C'est lui que je voyais. C'est sa voix que j'entendais, et je terminai la scène les yeux baignés de larmes.

— Vrai, Baron n'a pas menti, on jurerait que tu pleurais pour de bon, s'étonna Taupier en m'effleurant pour quitter le pré.

Le contact de son bras contre le mien me ramena à la réalité. Je frissonnai. Roman n'était pas là. Il ne serait plus jamais là.

Je ne sais quelle force me permit d'interpréter la scène 3 de l'acte III. C'était un résumé de ce que je vivais. Et lorsque je dis à Chimène : « Il vous prive d'un père, et vous l'aimez encore ! », je crus tomber en pâmoison, car ce vers reflétait très exactement mes sentiments. J'avais beau m'en défendre, comme Chimène aimait encore Rodrigue, j'aimais aussi Roman, l'assassin de mon père.

J'aurais voulu m'arracher ce sentiment du cœur pour le piétiner... et en même temps, il me parut que si ce sentiment disparaissait en moi, j'en mourrais.

Nous jouâmes devant Mme de Polignac et ses invités. Gentilshommes et gentes dames parurent satisfaits de notre prestation. Mais pour moi, ce *Cid*-là était parfaitement insipide. Il y manquait la fougue et la passion que Roman insufflait à la pièce. Jamais plus je ne jouerais *Le Cid* comme je l'avais joué avec lui.

J'essayais de m'en consoler en me persuadant que son absence allait me rendre la paix de l'âme.

Nous demeurâmes deux semaines à Lyon. Baron y connaissait des gens de qualité qui appréciaient le théâtre et qui nous invitèrent à nous produire dans leur château. Notre directeur nous recommanda de donner le meilleur de nous-mêmes afin que ces gentilshommes se montrent généreux envers notre compagnie qui avait besoin de subsides importants pour poursuivre son chemin. Armande en profita pour s'informer :

— Allons-nous bien à Paris ?

— Tout près. À Chantilly chez le prince de Bourbon-Condé et à Meudon chez Monseigneur le dauphin. Le marquis de Pierrefonds rencontré au mariage de Blanche de La Tour Gouvernet a promis de m'introduire auprès de ces princes qui goûtent fort le théâtre.

— Ainsi, c'était donc vrai ! s'exclama Camille au comble de l'excitation.

— Et nous irons à la Comédie-Française pour admirer les acteurs de Sa Majesté ! ajouta Dupuis. Il paraît que la Duclos est encore meilleure que la Champmeslé[1] !

---

1. Marie Desmares, dite la Champmeslé, actrice et tragédienne (1642-1698).

Les yeux d'Armande, de Vignerelle, de Dupuis et même ceux de Mlle Debrie brillèrent de convoitise.

— Je n'ai pas pour habitude de conter des balivernes, s'indigna faussement Baron.

Il avait l'air assez content de nous avoir fait languir et de nous confirmer cette bonne nouvelle.

J'aurais voulu, moi aussi, me réjouir, je n'y parvins pas.

J'avais le sentiment cruel que, dorénavant, toute joie me serait interdite.

Je pensai tout d'abord que la cause en était la peine occasionnée par la découverte de la façon abominable dont mon père était mort, et la disparition de ma mère. Mais en y réfléchissant honnêtement, je me rendis compte que la cause principale n'était point celle que j'évoquais pour apaiser ma conscience : c'était l'absence de Roman.

Le théâtre sans lui, la vie sans lui m'étaient insupportables.

J'étais une fille indigne. J'avais honte.

Il me fallut pourtant jouer les rôles que Baron m'attribuait avec autant de conviction que possible afin de ne pas porter préjudice à la troupe.

Mais chaque matin, je m'attendais à trouver Roman dans la salle de l'auberge où nous logions. Chaque après-dîner, je m'attendais à le voir surgir sur la scène à la place de Taupier et chaque soir, lorsque, fatigués, nous regagnions notre chambre, j'espérais l'apercevoir devant la porte.

Je dépérissais.

Baron, qui s'en était aperçu, me prit à part un soir.

— Le passé est le passé, Olympias. Tu dois regarder vers l'avenir. Et dans cet avenir, il n'y a plus ni ton père, ni ta mère, ni Roman, mais nous... la troupe. Nous ferons le maximum pour te soutenir, mais tu dois nous y aider.

— Je vais essayer, soufflai-je.

Mais je savais que ce serait difficile.

Nous remontâmes lentement en direction de Paris, faisant halte dans de nombreuses villes ou villages pour présenter l'une des pièces de notre répertoire.

Baron jubilait. La réputation de sa troupe semblait assurée, car on nous recevait fort courtoisement dans les châteaux et les demeures bourgeoises.

— Si nous continuons à nous produire avec autant de régularité, nous pourrons bientôt acheter de nouveaux costumes et changer nos chevaux qui sont bien vieux, se réjouissait-il.

Nous étions tous d'humeur agréable, heureux que notre jeu fût apprécié. Après avoir travaillé avec Baron, Taupier s'était amélioré, et si je faisais abstraction de son haleine fétide, être sa partenaire ne me posait plus de difficulté.

Comme je l'espérais, le théâtre m'avait, une fois de plus, sauvée.

Je n'irais pas jusqu'à affirmer que je ne pensais plus à Roman, à mon père et à ma mère, mais la douleur s'était blottie dans le fond de mon âme et s'y endormait doucement. La preuve : je ne sursautais plus lorsqu'une porte s'ouvrait, me donnant l'espoir de voir Roman, je ne l'attendais plus à la fin d'une pièce, ni lorsque nous arrivions à l'auberge.

Le bonheur de jouer remplaçait le bonheur tout court.

Cela me suffisait, car j'avais compris que le bonheur ne serait jamais pour moi.

Après Lyon, Mâcon, Autun, Saulieu, Auxerre, Montargis, Nemours où nous avions été fort applaudis, notre prochaine halte devait être Étampes. L'automne avait été agréable, mais à Nemours déjà, les premiers flocons de neige de décembre nous avaient rappelé que l'hiver était proche.

— Il nous faut être dans la capitale sans tarder. Il y a tant de gentilshommes ayant de belles demeures dans l'entourage de Sa Majesté que nous aurons du travail durant toute la mauvaise saison.

Au matin, alors que nous nous installions dans la voiture, Baron vint nous annoncer :

— Changement de direction, nous filons sur Melun.

— N'avions-nous point un engagement à Étampes ? s'étonna Dupuis.

— Si fait, mais nous en avons un meilleur à Melun.

— Se désister à la dernière minute risque de nuire à notre réputation, remarqua Vignerelle.

— Je sais tout cela..., répliqua Baron, mais un événement important m'oblige à prendre cette décision.

— Et, bien sûr, tu ne nous en diras pas plus, parce que tu es le chef et que c'est toi qui décides ! riposta Taupier avec un brin d'insolence.

— Exactement ! le rembarra Baron avant de s'asseoir sur le siège du cocher.

Dans la voiture, l'ambiance se détériora quelque peu. Taupier, Vignerelle et Armande se plaignirent de l'autorité de Baron. Dupuis, Camille, Mlle Debrie et moi-même prîmes la défense de notre directeur, arguant qu'il avait sans doute d'excellentes raisons pour changer de route.

— Melun ou Étampes, quelle importance, décréta Mlle Debrie, les deux villes sont proches de Paris ! D'ici peu, nous prendrons nos quartiers d'hiver à l'auberge de la Porte Saint-Martin où nous avons nos habitudes et j'avoue que ne plus avoir les os secoués à longueur de journée me ravit.

Sa sagesse finit par ramener le calme.

Cependant un étrange malaise s'empara de moi et une voix intérieure me soufflait : « C'est pour toi que Baron détourne notre route. » C'était comme une prémonition.

Mille théories vinrent tourner dans mon esprit. « Il a rendez-vous à Melun avec Mme de Maintenon pour me remettre entre ses mains afin que je retrouve une vie sage et pieuse. » « Jugeant mon travail et mon talent insuffisant, il a pris un accord avec un couvent de Melun afin de m'y laisser. » Ou encore : « L'un de ses vieux amis habite Melun et il va me présenter à lui afin que je l'épouse. »

Mais j'étais loin de m'attendre à ce qui allait m'arriver.

CHAPITRE
34

Lorsque la voiture s'arrêta devant l'auberge de la Clef d'or, la pluie qui nous avait accompagnés une partie du trajet redoubla de violence. Je rabattis sur mon visage le capuchon de ma mante et je descendis la première, car j'étais placée à côté de la portière. Baron avait sauté de son siège et avait déplié le marchepied. Il me tendit la main avec un petit souris en coin, auquel, je l'avoue, sur le moment, je ne prêtai point attention. Tête baissée, je traversai la cour à pas rapides, puis, afin de me repérer, je levai un instant les yeux en direction de l'entrée et mon cœur s'arrêta de battre.

J'aurais reconnu entre mille la silhouette qui s'encadrait sur le seuil.

C'était Roman.

Je cherchai une échappatoire. Un moyen de l'éviter, de ne point franchir cette porte. Je me retournai pour obtenir le soutien des autres. Mes camarades n'étaient point descendus de la voiture. Craignaient-ils tant que cela l'orage ?

Aussitôt après l'avoir formulée, j'éloignai cette idée, car le souris de Baron me revint à l'esprit. N'était-ce pas plutôt lui qui avait manigancé cette rencontre ? Roman et Baron étaient bons amis et ils étaient sans doute d'accord pour me tendre ce piège. Et dans quel but, Seigneur ? S'imaginait-il que quelques semaines d'absence avaient suffi à me faire oublier le crime odieux de Roman ? S'attendait-il à ce que je lui tombe dans les bras ?

Je tremblais de colère et de désespoir d'avoir été trahie par Baron que je considérais pourtant comme mon protecteur.

— Olympe, murmura doucement Roman en s'avançant vers moi.

Qu'il m'appelât par mon prénom véritable me conforta dans mon idée. Baron m'avait bel et bien trahie.

— Allez-vous-en ! Comment osez-vous vous présenter devant moi !

— C'est que j'ai quelque chose à te dire !

— Je ne veux rien entendre !

J'essayai de me faufiler par la porte entrouverte afin de me réfugier à l'intérieur et de courir m'enfermer dans une chambre. Il me barra le chemin et me saisit le bras.

— Ne me touchez pas ! hurlai-je, les nerfs tendus à se rompre.

— Je viens implorer ton pardon, car sans toi, je...

— Jamais !

— Écoute-moi.

Sa main me meurtrissait le bras, tant il serrait fort. Je me retournai, espérant le secours des autres membres de la troupe : la cour était toujours vide.

— Il s'agit de ta mère, ajouta-t-il.

La peur et la tristesse vinrent balayer ma colère et je répétai d'une voix d'enfant prête à sangloter :

— Ma mère ?

— Oui. Si j'ai disparu brusquement, c'était dans le seul but de partir à sa recherche pour... pour...

Il avait du mal à s'exprimer, ce qui me laissa à penser qu'il venait m'annoncer une mauvaise nouvelle et, au comble de l'angoisse, je lui coupai la parole :

— Elle est... morte ?

— Grand Dieu, non. Elle vit.

Un doux soulagement se glissa en moi, mais ne voulant rien laisser paraître de mes sentiments, je lui lançai avec morgue :

— Vous n'avez donc pas réussi à la tuer, elle aussi ?

Il lâcha son étreinte et s'écarta de l'entrée. J'aurais pu fuir, mais il avait une mine si abattue, une attitude si soumise qu'un sentiment étrange que je pris pour de la pitié me retint.

— J'ai cherché longtemps, parfois au péril de ma vie. Revenir à Orléans était risqué. Le souvenir de mon forfait, je m'en suis aperçu, était encore vivace. La police pouvait m'arrêter à chaque coin de rue. Mais ma vie n'a guère d'importance à présent... Je devais pourtant la sauvegarder un moment, le temps d'accomplir la mission que je m'étais fixée.

Il me sembla que ma colère et ma haine fondaient et je bégayai en le tutoyant malgré moi :

— Tu... tu l'as retrouvée ?

— Oui. Elle se dévoue entièrement à l'hôtel-Dieu Saint-Nicolas pour soigner les miséreux. On m'a dit qu'elle souhaitait ainsi expier les... enfin les erreurs de son mari.

— On t'a dit ça ?...

— Oui. Ici, elle est considérée comme une sainte femme.

— Ici ?

— L'hôtel-Dieu Saint-Nicolas est à Melun.

La tête me tourna, mes jambes mollirent et je sentis les bras puissants de Roman me retenir. Un reste d'orgueil me fouetta les sangs et je réussis à ne pas tomber. Me soutenant, il me guida à l'intérieur, m'aida à ôter ma mante ruisselante et m'obligea à m'asseoir sur un banc.

Il s'agenouilla alors à mes pieds. Cela me toucha plus que je ne l'aurais souhaité.

— J'ai obtenu de Baron qu'il fasse ce détour.

— Baron est un traître !

— Non. Il veut seulement m'aider à racheter ma terrible faute. Pourtant, j'ai quitté la troupe sans l'avertir... parce que si je n'avais pas réussi dans la mission que je m'étais fixée, je ne serais pas revenu. Ta haine pour moi m'aurait été insupportable, alors que mes sentiments pour toi...

Il s'arrêta. L'aveu qu'il allait prononcer me fit monter le rouge aux joues. Je ne voulais point l'entendre. Je toussotai pour me donner une contenance et je repris, ignorant ce qu'il venait de dire :

— Vous avez vu ma mère ?

J'étais si désorientée que je mêlais le tutoiement et le vouvoiement sans m'en rendre compte.

— Non. Par respect pour la souffrance que je lui avais imposée, je n'ai pas voulu paraître devant elle. Un prêtre auquel je me suis confessé a accepté de me servir d'intermédiaire.

Dieu lui avait donc pardonné par l'entremise de ce prêtre qui lui avait octroyé l'absolution... et moi, simple mortelle, allais-je en être capable ? Cette question sans réponse m'ébranla. J'essayai d'affermir ma voix pour lui demander :

— Et quel message lui avez-vous fait porter ?

— Que sa fille, qui avait déjà perdu son père dans de si affreuses circonstances, souhaitait revoir sa mère.

— Qu'a-t-elle répondu ?

— Que le Roi, dans sa grande mansuétude, avait accueilli sa fille Olympe à Saint-Cyr en guise de compensation. Et que cela avait été pour elle un immense soulagement de savoir que son enfant chérie allait, malgré tout, recevoir l'éducation d'une demoiselle de qualité.

— Elle... elle ne m'a donc pas abandonnée ?

— Non. Elle t'aime profondément. Elle a sacrifié le bonheur de t'avoir près d'elle pour assurer ton éducation dans de bonnes conditions.

— Mais pourquoi ne m'a-t-elle jamais écrit ?

— Mme de Maintenon le lui a déconseillé. Elle prétendait qu'il était préférable que tu oublies ton passé et ta mère était si honteuse de la conduite de son mari qu'elle n'a pas osé contredire celle qui te sauvait de la misère et de la honte.

— Pourtant, c'est ce passé enfoui et secret qui m'a fait souffrir.

— Ta mère te réclame à présent.

— Elle me réclame ?

— Oui. Le prêtre m'a dit qu'elle avait été si émue à la perspective de te serrer contre elle que des larmes de joie avaient coulé sur ses joues.

Alors, sans plus réfléchir, je saisis une des mains de Roman.

— Oh, merci ! merci, mon ami... revoir enfin cette mère chérie que je croyais disparue à jamais est un tel bonheur !

Il retira doucement sa main de mon étreinte et répondit :

— Je t'ai ôté ton père dans des circonstances dramatiques, et j'ai mis un point d'honneur à te rendre ta mère... À présent, je peux partir.

Je m'affolai soudain :

— Partir ? Mais partir pour aller où ?

— Qu'importe. Il m'est impossible de vivre dans la même troupe que toi.

Je me rendis compte alors que j'avais toujours espéré son retour et que la perspective qu'il disparût de ma vie m'était intolérable. Je m'étais leurrée en croyant l'oublier. Au contraire, il me parut que son absence avait renforcé le sentiment que j'éprouvais pour lui. Et puis quelle plus belle preuve d'amour pouvait-il m'offrir que d'avoir pris des risques pour retrouver ma mère ?

— Je vous en prie, restez, murmurai-je.

Il me jeta un regard incrédule et ajouta, peut-être pour m'obliger à dévoiler mieux mes sentiments :

— Il sera trop dur de lire chaque jour l'indifférence, ou pire, la haine dans tes yeux.

— J'ai besoin de toi, insistai-je en rougissant de ma franchise.

Il s'empara de mes deux mains et les baisa avec transport :

— Tu fais de moi le plus heureux des hommes et je te jure que je ferai de toi la plus heureuse des femmes !

Un brouhaha me fit me retourner. Baron et mes camarades venaient de pénétrer dans l'auberge. Tous arboraient un souris mutin.

— Eh bien, lança Baron, voilà une histoire qui avait fort mal commencé, et je gage qu'elle se terminera sous peu par un mariage !

Retrouvez la suite des aventures des Colombes dans :

Adélaïde et le prince noir

L'auteur

En un quart de siècle, Anne-Marie Desplat-Duc a publié une soixantaine de romans dont beaucoup ont été primés. Rien de surprenant quand on sait que sa passion est l'écriture et qu'elle y consacre tout son temps. Comme elle aime les enfants, c'est pour eux qu'elle écrit des histoires qui finissent bien. Vous pouvez toutes les découvrir sur son site Internet :
http://a.desplatduc.free.fr

CHEZ FLAMMARION, ELLE A DÉJÀ PUBLIÉ :

Félix Têtedeveau
Une formule magicatastrophique
Un héros pas comme les autres
Ton amie pour la vie
L'Enfance du Soleil
Les Lumières du théâtre : Corneille, Racine,
Molière et les autres

• Les héros du 18 :
Un mystérieux incendiaire (T. 1)
Prisonniers des flammes (T. 2)
Déluge sur la ville (T. 3)
Les chiens en mission (T. 4)

• Les Colombes du Roi-Soleil :
Les comédiennes de monsieur Racine (T. 1)
Le secret de Louise (T. 2)
Charlotte la rebelle (T. 3)

Découvrez le site des Colombes du Roi-Soleil :
http://www.lescolombesduroisoleil.com/

L'illustratrice

Aline Bureau vit à Paris. Elle a étudié le graphisme à l'école Estienne puis la gravure aux Arts décoratifs à Paris. C'est dans l'illustration qu'elle s'est lancée en travaillant d'abord pour la presse et la publicité, puis pour l'édition jeunesse.

Les Colombes du Roi-Soleil

Des jeunes filles rêvent d'aventure
et de succès. Élevées aux portes
de Versailles, les Colombes du Roi-Soleil
volent vers leur destin...

❧

PARTAGEZ LE DESTIN
DES COLOMBES DU ROI-SOLEIL
AVEC ONZE TOMES
PARUS EN GRAND FORMAT

Les Comédiennes
de Monsieur Racine

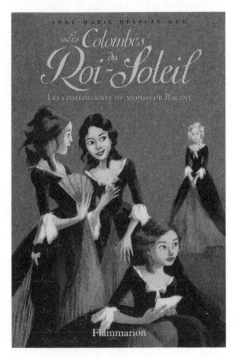

$\mathcal{L}$e célèbre M. Racine écrit une pièce de théâtre pour les élèves de Mme de Maintenon, les Colombes du Roi-Soleil. L'occasion idéale pour s'illustrer et, qui sait, être remarquées par le Roi. L'excitation est à son comble parmi les jeunes filles. Y aura-t-il un rôle pour chacune d'entre elles ?

Le secret de Louise

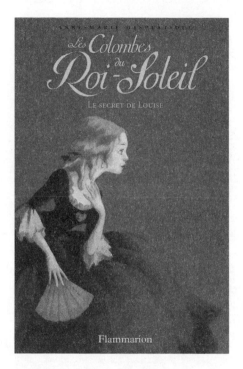

$\mathcal{G}$râce à ses talents de chanteuse, Louise est remarquée par la Reine d'Angleterre, qui lui demande de devenir sa demoiselle d'honneur. Elle quitte à regret Saint-Cyr et ses amies. Mais, très vite, elle fait des rencontres passionnantes et des découvertes qui vont l'aider à lever le voile sur le mystère qui entoure sa naissance...

Charlotte la Rebelle

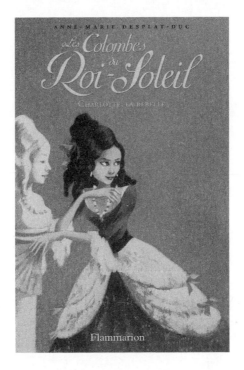

Charlotte décide de s'enfuir de Saint-Cyr et de quitter cette existence rangée qui ne lui convient pas. Une nouvelle vie l'attend à la cour de Versailles, une vie de fête, de liberté, de joie. Une découverte vient pourtant troubler son bonheur : son fiancé, François, a disparu. Charlotte ne s'avoue pas vaincue. Elle est prête à tout pour le retrouver !

LA PROMESSE D'HORTENSE

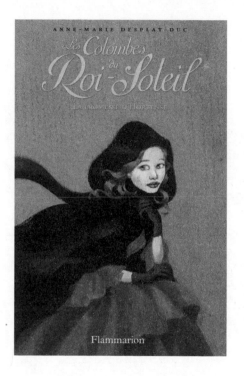

*H*ortense a fait une promesse à son amie Isabeau : rester avec elle à Saint-Cyr jusqu'à leur vingt ans. Mais Simon, l'homme qu'elle aime, ne supporte plus de vivre loin d'elle. Hortense accepte de s'enfuir avec lui. Même si elle sait qu'elle risque de provoquer le courroux du roi...

Le rêve d'Isabeau

Depuis que ses amies ont quitté Saint-Cyr, Isabeau rêve de réaliser, à son tour, son vœu le plus cher : devenir maîtresse dans la prestigieuse institution de Mme de Maintenon. Elle doit, pour cela, avoir une conduite irréprochable. Or, elle se retrouve, bien malgré elle, au cœur d'une affaire d'empoisonnement. Isabeau voit son rêve s'éloigner...

ÉLÉONORE ET L'ALCHIMISTE

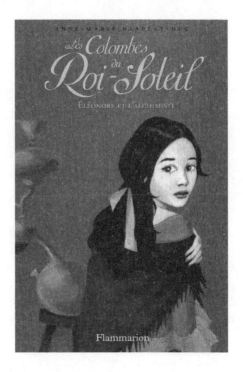

$\mathcal{P}$romise contre son gré à un baron, Éléonore quitte Saint-Cyr pour la Saxe. Si elle accepte ce sacrifice, c'est parce qu'il a promis d'aider ses sœurs dès qu'ils seront mariés. Hélas, rien ne se passe comme prévu! Éléonore s'éprend de Johann, un jeune alchimiste qui recherche le secret de la transmutation du plomb en or. Elle décide de tout faire pour l'aider à réaliser son rêve!

Un corsaire nommé Henriette

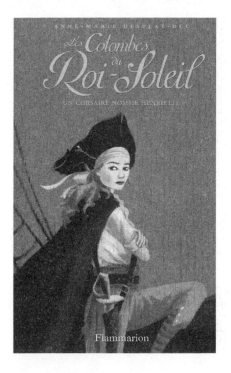

Originaire de Saint-Malo, Henriette est un garçon manqué. Amoureuse du vent et de la mer, elle ne rêve que de bateaux, au grand désespoir de sa mère. À Saint-Cyr, elle se lie d'amitié avec ses compagnes de fortune, mais elle n'est pas faite pour l'étude, le calme, ni la prière. Elle décide donc de reprendre sa liberté et d'aller au-devant de l'aventure pour réaliser son destin...

Gertrude et le Nouveau Monde

*P*our sauver son amitié avec Anne, Gertrude a commis une lourde faute et purge sa peine en prison. Mais une opportunité s'offre à elle : partir pour le Nouveau Monde. Là-bas, elle espère retrouver enfin la liberté et le bonheur. Pourtant, elle ne se doute pas des obstacles qui jalonneront sa nouvelle existence…

OLYMPE COMÉDIENNE

À Saint Cyr, Olympe vit repliée sur elle. Un drame dans son enfance l'a traumatisée, elle a perdu la mémoire. Mais lorsqu'elle découvre le théâtre, sa vie change. Elle intègre alors une troupe et fait la connaissance d'un jeune comédien. Tout semble aller pour le mieux. Et un jour, elle se souvient. Sera-t-elle assez forte pour affronter son passé et connaître l'amour ?

ADÉLAÏDE ET LE PRINCE NOIR

$\mathcal{A}$niabia, prince d'Assinie, vit au cœur de l'Afrique.
Adélaïde, jeune normande, est pensionnaire à Saint-Cyr.
Ils n'ont aucune chance de se rencontrer...
mais la providence s'en mêle et une série d'évènements
s'apprête à bouleverser leur vie. Adélaïde et Aniaba
devront chacun faire preuve de patience et de courage...

JEANNE PARFUMEUR DU ROI

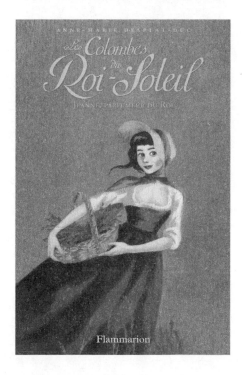

*L'*année de ses dix-sept ans, Jeanne, orpheline, doit retourner dans son sud natal, chez son oncle. Une grande passion l'anime alors : les plantes, les fleurs et les parfums. Mais comment imaginer qu'une demoiselle de qualité puisse un jour devenir parfumeur ? Et quel mystère entoure sa naissance ?

Des coffrets cadeau sont disponibles :

❧ Tomes
1, 2 et 3

❧ Tomes
4, 5 et 6

❧ Tomes 1, 2 et 3
format poches

l'Enfance du Soleil

ANNE-MARIE ✦ DESPLAT-DUC

« On a beaucoup écrit sur moi, ou plutôt sur le grand roi que je suis devenu, le Roi-Soleil. Mais l'enfant, qui en a parlé? Ma jeunesse a été faite de joies, de peines, d'amours, d'amitiés et de trahisons. L'absence d'un père, les tourments d'un pays en guerre, l'affection d'un frère et d'une mère, l'amour de la belle Marie Mancini... Qui, mieux que moi, saurait les raconter? J'ai décidé de prendre la plume. Et s'il se peut que je mélange un peu les dates, pour les sentiments, en revanche, je n'ai rien oublié. »

ANNE-MARIE DESPLAT-DUC

MARIE-ANNE
FILLE DU ROI

Premier bal à Versailles

1674.

Marie-Anne, élevée loin de la cour, apprend qu'elle est la fille du Roi Soleil. Prévenue des dangers d'une vie fastueuse, Marie-Anne s'apprête à découvrir Versailles et à faire son entrée dans la lumière.

Soudain, tous les regards se tournent vers elle…

Un traître à versailles

La cour a suivi le roi à la guerre. Versailles vidé de ses habitants, Marie-Anne et Louis sont seuls. Ils profitent de leur liberté pour partir à la découverte du château et du parc. Mais à plusieurs reprises, Marie-Anne surprend d'étranges conversations. Un complot semble se nouer : le roi est en danger, la monarchie est menacée. La jeune princesse mène l'enquête…

LE SECRET DE LA LAVANDIÈRE

C'est l'hiver. Le Roi et sa cour s'installent à Saint-Germain.
Marie-Anne y rencontre Rosine, une jeune Bretonne
dont le frère est emprisonné pour avoir participé à la révolte
des Bonnets rouges. Marie-Anne s'émeut de son sort et
décide de tout mettre en œuvre pour sauver le beau jeune
homme. Mais ne risque-t-elle pas de fâcher le Roi ?
Pour Marie-Anne, la liberté vaut bien tous les sacrifices…

Une mystérieuse reine de Pologne

Louis XIV, parti à la guerre, confie à son épouse la gestion du royaume. Mme de Montespan s'est retirée dans son château de Clagny. Tout est donc pour le mieux à Saint-Germain. Mais la reine de Pologne annonce son arrivée et la bonne humeur de la reine de France disparaît. Pourquoi cette reine étrangère n'est-elle pas la bienvenue à la cour ?

LA MALÉDICTION DU DIAMANT BLEU

Jean-Baptiste Tavernier, grand voyageur, est de retour des Indes avec de nombreuses pierres précieuses dont un diamant bleu d'une exceptionnelle grosseur.

Il compte bien le vendre un très bon prix à Louis XIV. Mais Marie-Anne apprend que ce diamant est frappé par une malédiction.

Parviendra-t-elle à empêcher son père de l'acquérir ?

Imprimé à Barcelone par:

BLACK PRINT

Composé par Nord Compo Multimédia
7, rue de Fives, 59650 Villeneuve-d'Ascq

Imprimé à Barcelone par:

BLACK PRINT

Composé par Nord Compo Multimédia
7, rue de Fives, 59650 Villeneuve-d'Ascq

Dépôt légal : mars 2013
N° d'édition : L.01EJEN000996.C002
Loi n° 49-956 du 16 juillet 1949
sur les publications destinées à la jeunesse